"读原著·学原文·悟原理"丛书

DUYUANZHU XUEYUANWEN WUYUANLI

《共产党宣言》这样学

孙熙国　张梧 | 主编

韩致宁 | 著

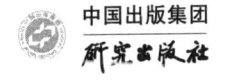

中国出版集团

研究出版社

图书在版编目（CIP）数据

《共产党宣言》这样学／韩致宁著．－－北京：研究出版社，2022.4
ISBN 978-7-5199-1185-0

Ⅰ.①共… Ⅱ.①韩… Ⅲ.①《共产党宣言》－马恩著作研究 Ⅳ.①A811.22

中国版本图书馆CIP数据核字(2022)第050132号

出 品 人：赵卜慧
出版统筹：张高里　丁　波
责任编辑：朱唯唯
助理编辑：何雨格

《共产党宣言》这样学

GONGCHANDANG XUANYAN ZHEYANGXUE

韩致宁　著

研究出版社 出版发行

（100006　北京市东城区灯市口大街100号华腾商务楼）
北京中科印刷有限公司印刷　新华书店经销
2022年4月第1版　2023年1月第3次印刷
开本：787毫米×1092毫米　1/32　印张：3.5
字数：47千字
ISBN 978-7-5199-1185-0　定价：28.00元
电话（010）64217619　64217612（发行部）

版权所有·侵权必究
凡购买本社图书，如有印制质量问题，我社负责调换。

"读原著·学原文·悟原理"丛书编委会

编委会主任：

孙熙国　孙蚌珠　孙代尧　张　梧

编委（以姓氏笔画为序）：

王　蔚　王继华　田　曦　任　远

孙代尧　孙蚌珠　孙熙国　朱　红

朱正平　吴　波　李　洁　何　娟

汪　越　张　梧　张　晶　张　懿

余志利　张艳萍　易佳乐　房静雅

金德楠　侯春兰　姚景谦　梅沙白

曹金龙　韩致宁

编委会主任

孙熙国，北京大学马克思主义学院教授、博导，北京大学习近平新时代中国特色社会主义思想研究院常务副院长，北京大学学位委员会马克思主义理论学科分会主席，国家"万人计划"教学名师，中央马克思主义理论研究和建设工程课题组首席专家，国务院学位委员会马克思主义理论学科评议组成员，教育部马克思主义理论类专业教学指导委员会副主任委员。兼任国际易学联合会会长，中国历史唯物主义学会副会长，北京市高教学会马克思主义原理研究会会长。

在《哲学研究》等刊物发表学术论文百余篇，著有《先秦哲学的意蕴》《马克思主义基本原理前沿问题研究》(第一作者)等，主编高校哲学专业统一使用重点教材《中国哲学史》，主编全国高中生统用教科书《思想政治·生活与哲学》《思想政治·哲学与文化》，获首届全国优秀教材一等奖。主持"马藏早期文献与马克思主义在中国的早期传播""马克思主义基本原理的学科对象与理论体系"等国家哲学社会科学重大项目和重点项目。

孙蚌珠，经济学博士，教授。现任北京大学马克思主义学院党委书记、习近平新时代中国特色社会主义研究院副院长。教育部高等学校思想政治理论课教学指导委员会委员总教指委主任委员、"形势与政策"和"当代世界经济和政治"分指导委员会主任委员。马克思主义研究和建设工程首席专家，国家义务教育教科书"道德与法治"编委会主任，国家统编高中思想政治教材《经济与社会》主编、国家中等职业学校思想政治教材编委会主任。中国政治经济学学会副会长、中国《资本论》研究会副会长。主要从事政治经济学、中国特色社会主义经济理论与实践研究，获得过北京市科学技术进步二等奖，是全国首届百名优秀"两课"教师、全国思想政治理论课影响力标兵人物、北京市高等学校教师名师、国家"万人计划"教学名师、享受国务院政府特殊津贴专家。

孙代尧，北京大学法学学士、硕士和博士。现任北京大学博雅特聘教授、社会科学学部学术委员和马克思主义学院学术委员会主任,《北京大学学报(哲学社会科学版)》主编。曾任马克思主义学院副院长、学位委员会主席、教育部高校思政课教学指导委员会委员。

先后入选国务院政府特殊津贴专家、中宣部全国文化名家暨"四个一批"人才、国家"万人计划"第一批哲学社会科学领军人才;担任中央马克思主义理论研究和建设工程专家、中国科学社会主义学会副会长等。

主要从事马克思主义理论、社会主义历史和理论等领域的教学和研究。担任教育部哲学社会科学研究重大课题攻关项目、国家社科基金重大项目首席专家。科研成果曾获北京市哲学社会科学优秀成果一等奖等多个奖项。

张梧,哲学博士。现为北京大学哲学系助理教授、研究员、博士生导师,中国人学学会秘书长、北京大学中国特色社会主义理论体系研究中心研究员、济宁干部政德学院"尼山学者"。主要研究方向是马克思主义哲学史、社会发展理论等。曾著有《马克思恩格斯〈德意志意识形态〉研究读本》《社会发展的全球审视》等学术专著,在《哲学研究》等核心期刊发表论文 30 余篇。

代序

马克思主义可以这样学

马克思主义应该怎样学？马克思主义经典著作应该怎样读？北京大学马克思主义学院以博士生的"马克思主义经典著作研读"课为抓手，进行了积极的探索，走出了一条"读原著、学原文、悟原理"的新路子，逐步形成了马克思主义理论专业人才培养的"北大模式"。

北京大学具有学习、研究和传播马克思主义的光荣传统。北京大学是中国马克思主义的发祥地，是中国共产党最早的活动基地，是中国马克思主义理论教育的诞生地。1920年，李大钊在北大开设了"唯物史观""工人的国际运动与社会主义的将来""社会主义与社会运动"等马克思主义理论课程和专题讲座，带领学生阅读马克思主义经典著作，公开讲授和宣传马克思主义。李大钊在北大所做的这些工作，与拉布里奥拉在意大利罗马大学、布哈林在苏俄红色教授学院、河上肇在日本京都帝国大学进行的马克思主义理论教学和研究工作，共同开启了马克思主义理论进入高校课堂的先河。

一百多年过去了，一代代的北大人始终把学习研究和宣传马克思主义作为自己的崇高使命，始终把马克思主义经典著作的学习研读作为教育教学的一项重要内容。2014年5月4日，习近平在北京大学师生座谈会上的讲话中指出，北京大学是新文化运动的中心和五四运动的策源地，是这段光荣历史的见证者。长期以来，北京大学广大师生始终与祖国和人民共命运、与时代和社会同前进，在各条战线上为我国革命、建设、改革事业作出了重要贡献。2018年5月2日，习近平总书记在北京大学考察时指出，北京大学是中国最早传播和研究马克思主义的地方。中国共产党的主要创始人和一些早期著名活动家，正是在北大工作或学习期间开始阅读马克思主义著作、传播马克思主义的，并推动了中国共产党的建立。这是北大的骄傲，也是北大的光荣。由此我们可以看到，北大具有学习研究和传播马克思主义的光荣传统，具有与祖国和人民共命运、与时代和社会同前进的光荣传统，具有爱国、进步、民主、科学的光荣传统。因此，如果要讲北大传统，首先就是马克思主义的传统；如果要讲北大精神，首先就是马克思主义的精神。北大学习研究和传播马克思主义的精神和传统始终与马克思主义经典著作的研读和学习紧紧结合在一起。

2018年5月2日，习近平总书记视察北大马克思主义学院时指出："高校马克思主义学院就是要坚持'马院姓马，在马言马'的鲜明导向和办学原则，为巩固马克思主义在意识形态领域的指导地位，推动马克思主义进校园、进课堂、进学生头脑，发挥应有作用。"在习近平总书记重要讲话精神的指导下，北京大学马克思主义学院逐步确立了以"埋首经典，关注现实"为基本理念、以马克思主义经典文献学习研读为重要内容的马克思主义卓越人才培养的"北大模式"。其中加强和完善"马克思主义经典著作研读"课程，并对研究生、特别是博士研究生进行马克思主义经典著作的中期考核成为北大博士生培养的一个重要环节。

北京大学马克思主义学院的学生究竟怎样学习马克思主义基本原理？怎样阅读马克思主义经典著作呢？

习近平总书记指出："学习理论最有效的办法是

读原著、学原文、悟原理。"要学好马克思主义理论，就必须要读马克思主义经典作家的原著，学马克思主义经典作家的原文，悟马克思主义基本原理。一句话，就是必须要学好马克思主义经典著作。"马克思主义经典著作"这门课一直是我国高校马克思主义学院研究生的核心课程。北大给硕士生开设的马克思主义经典著作课叫"马克思主义经典著作导读"，给博士生开设的马克思主义经典著作课叫"马克思主义经典著作研读"。我负责博士生的"马克思主义经典著作研读"课始自2010年秋季。一开始是我一个人讲，后来孙蚌珠、孙代尧老师加入进来，再后来马克思主义基本原理所、马克思主义发展史所的老师们也陆续加入到了本课程的教学和研究工作中。博士生的"马克思主义经典著作研读"课程的学习时间是一年，学习阅读的文本有30多篇。北大学习研读经典文本的基本方式是在学习某一文本之前，先由学生来做文献综述，通过文献综述把这一文本的文献概况、主要内容、学界争论的焦点问题、学者研究的基本方法和形成的基本范式梳理概括出来。呈现给读者的这套《读原著、学原文、悟原理》丛书，就是北京大学马克思主义学院2016级博士生在"马克思主义经典著作研读"课程学习过程中,在授课老师指导下围绕所学的马克思恩格斯经典文本完成的成果结集。授课教师从2016级博士生的研读成果中精选出了优秀的研究成果,经反复修改完善,以"读原著、学原文、悟原理"作为丛书书名出版。

本丛书收录了从马克思高中毕业撰写的三篇作文到恩格斯晚年撰写的《路德维希·费尔巴哈和德国古典哲学的终结》等代表性著述20余篇。这20篇著作是北京大学马克思主义学院马克思主义理论一级学科各专业和政治经济学、科学社会主义与国际共产主义运动专业博士生必修课"马克思主义经典著作研读"的必学书目。丛书作者对这20余篇著作的研究状况和研究内容的梳理、概括和总结,基本上反映了北大"马克思主义经典著作研读"课程的主要内容,展现了北大马克思主义学院博士生学习研读马克思主义经典著作的基本情况,是北大博士生阅读马克思主义经典文本、学习马克思主义基本原理的一个缩影。在某种意义上说,这些成果体现了北大马克思主义学院博士生学习马克思主义经典著作的基本方式。因此,我们可以自豪地说,马克思主义经典文本可以"这样读",马克思主义基本原理可以"这样学"。

本书对马克思恩格斯每一时期文本的介绍和阐释主要是围绕以下四个方面的内容展开的。一是对马克思恩格斯这一文本的写作、出版和传播等主要情况的介绍和说明，二是对这一文本的主要内容的介绍和提炼，三是对国内外学者关于这一文本研究的基本方法、形成的基本范式和切入点的概括总结，四是对国内外学者在这一文本研究过程中所涉及到的一些具有争议性的问题或焦点问题的梳理和辨析。在每一章的后面，作者又较为详细地列出了该文本研究的主要参考文献，也就是关于每一个文本的代表性研究成果。本书力图从以上四个方面入手，尽可能客观全面地展示国内外学者关于马克思恩格斯这些经典文本的研究状况、研究结论和研究方法，以期对马克思主义学院师生学习、研读马克思主义经典著作提供参考和借鉴。

马克思主义理论是我们做好一切工作的看家本领，也是领导干部必须普遍掌握的工作制胜的看家本领。我们期望这套 20 本的"读原著、学原文、悟原理"丛书能够在这方面给大家提供一些积极的启示和有益的帮助。

孙熙国
2022.2

目 录 CONTENTS

一、文献写作概况　　001

二、文献内容概要　　004

三、研究范式　　015

四、焦点问题　　018

一、文献写作概况

1847年11月，共产主义者同盟第二次代表大会在伦敦召开，马克思和恩格斯在大会上阐述了科学社会主义的思想。大会经过辩论，接受了他们的观点，并委托他们起草一个准备公布的纲领。1847年12月至1848年2月，卡尔·马克思和弗里德里希·恩格斯应共产主义者同盟中央委员会的要求，撰写了《共产主义宣言》，即《共产党宣言》（本篇简称《宣言》）。1848年2月21日《宣言》在伦敦付印，第一次以单行本的形式用6种文字正式发表，2月24日正式出版。马克思和恩格斯以"叙述历史"的方式共同撰写了《宣言》，第一次全面系统地阐述了科学社会主义理论，指出共产主义运动将成为不可抗拒的历史潮流。

作为国际共产主义运动第一个纲领性文献、马克思主义诞生的重要标志，《宣言》的出版有其深刻的社会经济背景和阶级根源。19世纪40年代，随着资本主义生产方式统治地位在欧洲的建立、工业革命在欧洲主要国家的发展，资本主义社会的基本矛盾即生产社会化和生产资料私人占有之间的矛盾日益激化，频频发生经济危机。经济危机使社会生产力遭到极大破坏，给无产阶级和劳动人民带来深重灾难。资产阶级为了摆脱经济危机的困境，不断加紧对无产阶级的剥削和压迫。随着各种社会矛盾不断暴露，无产阶级反对资产阶级的斗争也日益激化，斗争的规模越来越大。无产阶级最具有代表性的反抗运动是1831年和1834年法国里昂工人两次起义、1836—1848年爆发的英国宪章运动以及1844年德国西里西亚纺织工人起义。这些斗争虽然都被镇压下去，却显示出无产阶级已经作为一支独立的政治力量登上了历史舞台。工人阶级斗争的经验，为马克思、恩格斯进行理论研究提供了宝贵的材料，也使马克思主义的产生成为可能；三大工人运动的失败，从反面提出了创立科学社会主义理论的迫切要求。马克思、恩格斯认为，首先要从组织上把各国分散的工人运动统一起来，其次要批判各种错误思潮，为统一的工人运动提供行动纲领。《共产党宣言》阐述的科学理论于1848—1849年欧洲革命中经受了检验,并在实际运用中得到发展。

《宣言》一问世便被译成欧洲多种文字,至今仍具有强大的震撼力和影响力。马克思、恩格斯在世时,它被译成18种文字,主要流传于欧美国家。在再版传播过程中,有七篇重要的序言,分别为1872年德文版序言、1882年俄文版序言、1883年德文版序言、1888年英文版序言、1890年德文版序言、1892年波兰文版序言、1893年意大利文版序言。目前《宣言》至少在70个国家,用100多种语言出版,印数在3000万册以上。《宣言》传入中国较晚,曾有多种中译本,第一个中译本在1920年问世。正如恩格斯在1888年英文版序言所说:"(《宣言》)无疑是全部社会主义文献中传播最广和最具有国际性的著作。"[①] 2020年,《共产党宣言》发表172周年,回望《共产党宣言》诞生以来的172年,人类社会见证种种思潮的激荡,经历无尽的风云变幻,始终不变的是对和平幸福美好的追求。

---

① 《马克思恩格斯文集》第2卷,人民出版社2009年版,第13页。

二、文献内容概要

(一)《共产党宣言》七篇序言内容概要

马克思和恩格斯在不同时期为《共产党宣言》写作了七篇序言。序言阐明了贯穿《宣言》的基本思想史唯物史观,阐述了《宣言》的指导意义。

《1872年德文版序言》是马克思和恩格斯为《宣言》新的德文版合写的第一篇序言。马克思和恩格斯在序言中明确指出:"不管最近25年来的情况发生了多大的变化,这个《宣言》中所阐述的一般原理整个说来直到现在还是完全正确的";同时又强调,这些原理的实际运用,"随时随地都要以当时的历史条件为转移"[①]。他们还谈到,由于情况的变化,有了法国二月革命特别是巴黎公社的实际经验,《宣言》的某些地方本来可以做一些修改,但考虑到《宣言》是一个历史文件,所以对内容未做修改。《宣言》新的德文版由《人民国家报》编辑部倡议,于1872年在莱比锡出版,这一版只对个别用词做了改动。

---

① 《马克思恩格斯全集》第1卷,人民出版社2012年版,第376页。

《1882年俄文版序言》是马克思和恩格斯为《宣言》的第二个俄译本合写的序言。该译本由格·普列汉诺夫翻译。马克思和恩格斯在序言中强调:"《共产党宣言》的任务,是宣告现代资产阶级所有制必然灭亡。"[1]他们通过对俄美两国资本主义发展进程的分析,论证了自《共产党宣言》发表以来无产阶级运动不断扩大的趋势,指出俄国已经从欧洲全部反动势力的最后一支庞大的后备军变成了欧洲革命运动的先进部队,并对当时俄国农村公社土地公有制的前途提出这样的设想:"假如俄国革命将成为西方无产阶级革命的信号而双方互相补充的话,那么现今的俄国土地公有制便能成为共产主义发展的起点。"[2]

《1883年德文版序言》是恩格斯为1883年在霍廷根—苏黎世出版的《共产党宣言》第三个德文版写的序言,该版本是马克思逝世后经恩格斯同意出版的第一个德文本。序言明确表述了贯穿《宣言》的基本思想:"每一历史时代的经济生产以及必然由此产生的社会结构,是该时代政治的和精神的历

---

[1][2]《马克思恩格斯全集》第1卷,人民出版社2012年版,第379页。

史的基础；因此（从原始土地公有制解体以来）全部历史都是阶级斗争的历史，即社会发展各个阶段上被剥削阶级和剥削阶级之间、被统治阶级和阶级之间斗争的历史；而这个斗争现在已经达到这样一个阶段，即被剥削压迫的阶级（无产阶级），如果不同时使整个社会永远摆脱剥削、压迫和阶级斗争，就不再能使自己从剥削它压迫它的那个阶级（资产阶级）下解放出来。"① 恩格斯的这一表述，概括了唯物史观的主要内容。

《1888年英文版序言》是恩格斯为1888年在伦敦出版的英文版《宣言》写的序言。该版本由赛·穆尔翻译，恩格斯亲自校订并加了一些注释。恩格斯在序言中回顾了国际工人运动的历史和《宣言》在各国的传播史，指出："《宣言》的历史在很大程度上反映着现代工人阶级运动的历史；现在，它无疑是全部社会主义文献中传播最广和最具有国际性的著作，是从西伯利亚到加利福尼亚的千百万工人公认的共同纲领。"② 恩格斯重申了1883年德文

---

① 《马克思恩格斯全集》第1卷，人民出版社2012年版，第380页。
② 《马克思恩格斯全集》第1卷，人民出版社2012年版，第385—386页。

版序言所表述的《宣言》的基本思想，并强调"这一思想对历史学必定会起到像达尔文学说对生物学所起的那样的作用"。① 他还引录了1872年德文版序言的主要内容。

《1890年德文版序言》是恩格斯为1890年在伦敦作为《社会民主主义丛书》之一出版的德文版《宣言》写的序言。该版本是经恩格斯同意出版的《宣言》第四个德文本。它除了发表恩格斯的新序言，还收录了1872年和1883年德文版序言。1890年11月28日《工人报》第48号在庆祝恩格斯七十周年寿辰的社论中也摘要刊登了这篇新序言。恩格斯在序言中再次回顾了国际工人运动的历史和《宣言》在各国的传播史，不仅全文引录了1882年俄文版序言，而且援引了1888年英文版序言的主要内容。

《1892年波兰文版序言》是恩格斯为1892年由波兰社会党人的《黎明》杂志出版社在伦敦出版的波兰文版《宣言》写的序言。恩格斯在序言中指出："近来《宣言》在某种程度上已经成为测量欧

---

① 《马克思恩格斯全集》第1卷，人民出版社2012年版，第385—386页。

洲大陆大工业发展的一种尺度。某一国家的大工业越发展,该国工人想要弄清他们作为工人阶级在有产阶级面前所处地位的愿望也就越强烈,工人中间的社会主义运动也就越扩大,对《宣言》的需求也就越增长。"[1] 他还指出,只有年轻的波兰无产阶级才能争得波兰的独立,而欧洲其余国家的工人也像波兰工人一样需要波兰的独立和复兴,因为"欧洲各民族的真诚的国际合作,只有当每个民族自己完全当家做主的时候才能实现"[2]。这篇序言发表于1892年2月27日《黎明》杂志第35期。

《1893年意大利文版序言》是恩格斯应意大利社会党领袖菲·屠拉梯的请求,用法文为1893年意大利文版《宣言》写的序言。该版本由蓬·贝蒂尼翻译,序言由屠拉梯翻译,于1893年由社会党理论刊物《社会评论》杂志社在米兰出版。恩格斯在序言中回顾了1848年革命以来的历史进程,特别是意大利、德国、匈牙利等民族取得统一和独立的进程,指出:"1848年革命虽然不是社会主义革命,但它毕竟为社会主义革命扫清了道路,为这个

---

[1] 《马克思恩格斯全集》第1卷,人民出版社2012年版,第394页。
[2] 《马克思恩格斯全集》第1卷,人民出版社2012年版,第395页。

革命准备了基础。最近45年来,资产阶级制度在各国引起了大工业的飞速发展,同时造成了人数众多的、紧密团结的、强大的无产阶级;这样它就产生了——正如《宣言》所说——它自身的掘墓人。不恢复每个民族的独立和统一,那就既不可能有无产阶级的国际联合,也不可能有各民族为达到共同目的而必须实行的和睦与自觉的合作。"①

(二)《宣言》正文内容概要

《宣言》用历史唯物主义观点阐明了原始土地公有制解体以来的全部历史都是阶级斗争的历史;对资本主义做了深刻而系统的分析,科学地评价了资产阶级的历史作用,揭示了资本主义的内在矛盾,论证了资本主义必然灭亡和共产主义必然胜利是人类社会发展规律。

《宣言》包括引文和正文四章。引文说明了《宣言》产生的历史背景和目的任务。"共产主义已经被欧洲的一切势力公认为一种势力;现在是共产党人向全世界公开说明自己的观点、自己的目的、自己的意图并且拿自己的宣言来反驳关于共产主义幽

---

① 《马克思恩格斯全集》第1卷,人民出版社2012年版,第397页。

灵的神话的时候了。"①

第一章《资产者和无产者》论述了马克思主义的阶级斗争学说,揭示了资本主义社会发展的客观规律,深刻阐述了阶级斗争理论。马克思和恩格斯指出:"至今一切社会的历史都是阶级斗争的历史"②,阶级斗争是阶级社会发展的直接动力。"现代资产阶级本身是一个长期发展过程的产物,是生产方式和交换方式一系列变革的产物""资产阶级在历史上曾经起过非常革命的作用"。③ 然而,现代资本主义社会并没有消除阶级、阶级矛盾和阶级斗争,它只不过是用新的阶级、新的压迫条件、新的斗争形式取代了旧的阶级、旧的压迫条件和旧的斗争形式。但与以往社会不同的是,资本主义社会使阶级和阶级矛盾简单化了,社会日益分裂为两大敌对阵营,即无产阶级和资产阶级。资产阶级不仅锻造了置自己于死地的武器,即现代生产力,而且还造就了运用这一武器来反对它自己的人——现代无产阶级。

---

① 《马克思恩格斯全集》第 1 卷,人民出版社 2012 年版,第 399 页。
② 《马克思恩格斯全集》第 1 卷,人民出版社 2012 年版,第 400 页。
③ 《马克思恩格斯全集》第 1 卷,人民出版社 2012 年版,第 402 页。

无产阶级作为大工业的产物,是新的生产方式的代表者,因而是真正革命的阶级和未来社会的创造者。但在资本主义私有制度下,无产阶级的劳动成为资本家资本增殖的手段,资本则成为支配工人劳动的权力;无产阶级创造了社会财富,但自己却成为一无所有的赤贫者。无产阶级的这种历史地位和社会地位决定了它必然成为资本主义私有制的掘墓人。社会化大工业的发展为消灭私有制和阶级对抗提供了客观的历史条件,无产阶级的革命运动"是绝大多数人的、为绝大多数人谋利益的独立的运动"[①]。这些客观和主观的条件,使得"资产阶级的灭亡和无产阶级的胜利是同样不可避免的"[②]。

第二章《无产者和共产党人》说明了无产阶级政党的性质、特点、目的和任务,以及共产党的理论和纲领。第一,共产党人同整个无产阶级的利益相同,不同其他工人政党相对立。"共产党人同其他无产阶级政党不同的地方只是:一方面,在无产者不同的民族斗争中,共产党人强调和坚持整个无产阶级共同的不分民族的利益;另一方面,在无产

[①②] 《马克思恩格斯全集》第1卷,人民出版社2012年版,第411页。

阶级和资产阶级的斗争所经历的各个发展阶段上，共产党人始终代表整个运动的利益。"①第二，共产党人的最近目的同其他一切无产阶级政党的最近目的一致，即"使无产阶级形成为阶级，推翻资产阶级的统治，由无产阶级夺取政权"②。第三，马克思、恩格斯预见了未来共产主义社会的重要特征。他们指出："在资产阶级社会里，活的劳动只是增殖已经积累起来的劳动的一种手段。在共产主义社会里，已经积累起来的劳动只是扩大、丰富和提高工人的生活的一种手段。"③同时强调，"代替那存在着阶级和阶级对立的资产阶级旧社会的，将是这样一个联合体，在那里，每个人的自由发展是一切人的自由发展的条件"④。

第三章《社会主义和共产主义的文献》，批判了当时流行的各种假社会主义，分析了各种假社会主义流派产生的社会历史条件，并揭露了它们的阶级实质。封建的社会主义、小资产阶级的社会主

---

① 《马克思恩格斯全集》第1卷，人民出版社2012年版，第413页。
② 《马克思恩格斯全集》第1卷，人民出版社2012年版，第413页。
③ 《马克思恩格斯全集》第1卷，人民出版社2012年版，第415页。
④ 《马克思恩格斯全集》第1卷，人民出版社2012年版，第422页。

义、德国的或"真正的"社会主义属于反动的社会主义。资产阶级的社会主义是《宣言》所介绍的另一类假社会主义,他们带来的"仅仅是物质生活条件即经济关系的改变。但是,这种社会主义所理解的物质生活条件的改变,绝对不是只有通过革命的途径才能实现的资产阶级生产关系的废除,而是一些在这种生产关系的基础上实行的行政上的改良,因而丝毫不会改变资本和雇佣劳动的关系,至多只能减少资产阶级的统治费用和简化它的财政管理","资产阶级的社会主义只有在它变成纯粹的演说辞令的时候,才获得自己的适当的表现"。[1] 马克思、恩格斯特别对空想社会主义进行了剖析,深刻地说明了社会主义由空想发展为科学的历史必然性。圣西门、傅里叶、欧文等人的空想社会主义和共产主义的体系,是在无产阶级和资产阶级之间斗争的最初时期出现的,他们看到了阶级对立、占统治地位的社会本身中的瓦解因素的作用,却"看不到无产阶级方面的任何历史主动性,看不到它所特有的任何政治运动"[2]。他们对未来社会提出了一些积极主

---

[1] 《马克思恩格斯全集》第1卷,人民出版社2012年版,第430页。
[2] 《马克思恩格斯全集》第1卷,人民出版社2012年版,第431页。

张,例如,"消灭城乡对立、消灭家庭、消灭私人盈利、消灭雇佣劳动、提倡社会和谐、把国家变成纯粹的生产管理机构",但是这些超乎阶级斗争的幻想和主张本身还带有纯粹的空想性质。[1]

第四章《共产党人对各种反对党派的态度》论述了共产党人革命斗争的思想策略。"共产党人为工人阶级的最近目的和利益斗争,他们在当前的运动中同时代表运动的未来。……共产党人到处都支持一切反对现存的社会制度和政治制度的革命运动。在所有这些运动中,他们都强调所有制问题是运动的基本问题,不管这个问题的发展程度怎样。最后,共产党人到处都努力争取全世界民主政党之间的团结和协调。共产党人不屑于隐瞒自己的观点和意图。他们公开宣布:他们的目的只有用暴力推翻全部现存的社会制度才能达到。让统治阶级在共产主义革命面前发抖吧。无产者在这个革命中失去的只是锁链。他们获得的将是整个世界。"[2]

《宣言》强调:"共产主义的特征并不是要废除

---

[1] 《马克思恩格斯全集》第1卷,人民出版社2012年版,第432页。
[2] 《马克思恩格斯全集》第1卷,人民出版社2012年版,第434—435页。

一般的所有制,而是要废除资产阶级的所有制。但是,现代的资产阶级私有制是建立在阶级对立上面、建立在一些人对另一些人的剥削上面的产品生产和占有的最后而又最完备的表现。从这个意义上说,共产党人可以把自己的理论概括为一句话:消灭私有制。"① "共产主义革命就是同传统的所有制关系实行最彻底的决裂;毫不奇怪,它在自己的发展进程中要同传统的所有制关系实行最彻底的决裂。"②《宣言》论述了无产阶级作为资本主义掘墓人的伟大历史使命和建立共产主义新社会的奋斗目标,指出:"代替那存在着阶级和阶级对立的资产阶级旧社会的,将是这样一个联合体,在那里,每个人的自由发展是一切人的自由发展的条件。"③

三、研究范式

《宣言》根据研究侧重点的不同可以大致分类为三种研究范式,即西方马克思主义学派的解读范式、苏联学者的解读范式、国内学者的解读范式。

---

① 《马克思恩格斯全集》第1卷,人民出版社2012年版,第414页。
② 《马克思恩格斯全集》第1卷,人民出版社2012年版,第421页。
③ 《马克思恩格斯全集》第1卷,人民出版社2012年版,第422页。

(一)西方马克思主义学派的解读范式

其解读主要分为以下两种范式：

一种是修正主义范式。最早的修正主义者是德国社会民主党人伯恩斯坦，在经济上，他强调马克思设想的、在推翻资本主义私有制之后才能出现的经济现象，实际上在资本主义社会内部已经产生了；由此而谈论现存社会"长入"社会主义的问题，"并不是错误的"。在政治上，为资本主义殖民政策辩护，即把落后民族纳入文明化制度中；宣扬"和平长入"社会主义，反对阶级斗争学说；在意识形态上，企图用新康德主义改造马克思主义，否定"经济决定论"，认为"社会主义的胜利并不取决于它的内在的经济必然性。我认为既没有可能，也没有必需赋予它以纯粹物质的基础"[①]。与此同时，以麦克唐纳、奥托·鲍威尔为代表的右派开始全面修正马克思主义。

另一种是辩证发展解读范式。在探讨"两个必然""两个决不会"的关系、资本主义与社会主义的关系等问题时，西方学者们辩证、联系地进行分析。

---

① [德]伯恩斯坦:《社会主义的前提和社会民主党的任务》，殷叙彝译，上海三联书店1965年版，第31页。

（二）苏联学者的解读范式

苏联学者也存在两种对立范式，一种是积极肯定范式，另一种为消极否定范式。

俄罗斯学者巴加图利亚指出：《宣言》的基本内容今天仍然有效。例如，作为生产者阶级争取摆脱剥削和压迫的斗争纲领之坚固基础的辩证唯物主义的社会观和社会历史观；对基于生产资料私有制社会的基本矛盾的分析；对于社会根本改造成无产阶级的共产主义的分析，为实现这种改造，工人阶级必须在政治上组织起来并取得政治统治，创造条件使每个社会成员和整个社会得到自由发展，是向新的社会形态过渡的政治目标。①

俄罗斯学者 V.M. 罗任消极地认为，社会主义和马克思主义事业是乌托邦，建立在马克思主义思想上的社会不能存在。即使存在，也只能存在于有限的时间内，和与文化价值和人道主义不相协调的条件下。②

---

① 朱美荣：《国外学者聚焦发表160周年的〈共产党宣言〉》，载《当代世界与社会主义》2008年第4期。
② V.M.Rozin, "Esoteric Ideas on the Transformation of Man and Society in Comparison with Utopian and Social Projects", *Russian Social Science Review*, Vol.49, No.1, 2008, p.50.

(三)国内学者的解读范式

1. 第一阶段：传统解读范式

以黄楠森的八卷《马克思主义哲学史》为代表，传统解读范式从线性角度进行梳理，以时间为线索分析解读马克思恩格斯的思想。

2. 第二阶段：新世纪以来的解读范式

21世纪以来，中国学者的研究角度更加广泛。学者们关注社会学、哲学、经济学、全球化等角度的研究。例如孙代尧教授提出了对《宣言》不同角度解读的观点：第一，《宣言》是一部科学社会主义的经典著作，其说明了阶级斗争、无产阶级历史使命（推翻旧世界、建立新世界）、无产阶级专政思想、无产阶级政党的学说、对未来新社会的构想等问题。第二，《宣言》是一部描绘转型社会的经典学术著作。第三，宣言是一部反思"现代性"的后现代主义著作。第四，《宣言》是一部阐述"马克思主义"的全球化理论的著作。

四、焦点问题

自《宣言》发表至今已170余年，在此期间涌现出大量相关研究文献。学者们从不同角度对《宣言》及其序言进行研究和解读。其焦点问题主要有：对《宣言》是否过时的争论、关于"两个必然""两个决不会"的讨论、科学社会主义的理论特质即对历史唯物主义的理解、马克思对资产阶级现代性的研究、世界历史理论与全球化问题、资本主义与社会主义的关系问题、对自由人的联合体概念与实现路径等方面的理解、阶级问题以及政党问题。此外，关于《宣言》的出版时间、传播情况、译本情况、个别词汇翻译的争议、对序言的内容及意义的研究、从其他学科（包括教育学、文学、地理学等）角度对《宣言》进行分析的文献数量也在逐渐增多。2018年是《宣言》发表170周年，《宣言》的历史意义与现实意义被学界更加充分地讨论和重视，从中文期刊数量来看，这一年发表的《宣言》相关文献数量明显高于其他年份。《共产党宣言》的研究已经有丰富的成果，但是仍有进一步深化和创新的空间，例如对《宣言》的写作、传播、译介的历史资料的进一步挖掘，对《宣言》更为理论化的构建，以及与现实问题相结合以解决社会发展中的实际问题的深入分析。

(一)对《宣言》过时论的驳斥

自 1848 年《共产党宣言》发表,至今已 170 多年,世界形势发生了翻天覆地的变化,资本主义经历了多次经济危机、共产主义经历了 20 世纪末剧变。有人据此提出《宣言》是 19 世纪经济社会条件的产物,用 100 多年前的理论指导今天的实践,无异于刻舟求剑,进而提出"《共产党宣言》过时论"。例如,俄罗斯学者 V.M. 罗任消极地认为,社会主义和马克思主义事业是乌托邦,建立在马克思主义思想上的社会不能存在。即使存在,也只能存在于有限的时间内,和与文化价值和人道主义不相协调的条件下。① 许多权威学者驳斥这一观点。

英国工党重要的理论家和活动家、马克思主义的传播者和民主社会主义的奠基者拉斯基曾经分析过《宣言》的"独创性体现在以下方面:首先,组合这些学说形成逻辑政体的才能;其次,根据最终革命预言的前景,提出当前的行动纲领的概要,这个纲领被认为是直接关乎欧洲主要国家工人的要

---

① V.M.Rozin, "Esoteric Ideas on the Transformation of Man and Society in Comparison with Utopian and Social Projects", *Russian Social Science Review*, Vol.49, No.1, 2008, p.50.

求,源于资本主义统治的实践经验"①。他结合欧洲当时的革命实践分析《宣言》的写作依据和现实意义:"在人类历史上,很少有文献像《共产党宣言》那样出色地经受了来自未来的检验。它达标一个世纪以来,没有人能够认真驳倒其中任何一个主要论点。"②"它为社会哲学提出了四点重要的新见解。第一,它指出了不可避免的变革同导致变革不可避免的原因之关系。第二,它把这种变革同社会划分为阶级联系起来,而阶级对立一直是人与人之间冲突的重要根源。第三,它揭示了为什么有理由认为,垂死的资本主义生活方式和新生的社会主义方式之间的冲突,将是社会划分为阶级所产生的那些冲突的最后阶段,并且为什么这些冲突终止的时候,人与人之间将出现新的更丰富的关系,因为那时会最终摧毁阻碍人类征服自然的生产力的桎梏。最后两位作者说明了人们如何能够意识到自己所处的历史方位,从而获得必要的知识,采取下一步有效行动

---

① [英]哈罗德·约瑟夫·拉斯基:《〈共产党宣言〉社会主义的里程碑》,吴韵曦译,中国民主法治出版社2018年版,第32页。
② [英]哈罗德·约瑟夫·拉斯基:《〈共产党宣言〉社会主义的里程碑》,吴韵曦译,中国民主法治出版社2018年版,第113页。

通往自由的漫漫长路。"①

法共政治局委员、前马克思主义研究所所长弗·拉扎尔夫人认为在马克思提出解放全人类口号多年后的今天,《宣言》依然具有伟大意义。《共产党宣言》发表150周年时她高度概括了其精神内涵:《共产党宣言》不是一般的书,它是能使水沸腾起来的碳。"取代资本主义的选择是什么?人类解放的前景是什么?"这两个问题值得在世界范围展开最广泛、最深入和最富创造性的讨论。马克思揭示了资本主义给人类带来的灾难。150年来,为着人类的解放,各国人民和无数志士仁人雄心勃勃地进行了众多探索和尝试,但也经历了许多苦难、悲剧和失败。值此世纪之交之际,面对社会生活的新挑战,我们认为,所有的进步力量应在保持各自特性的同时,摈弃几十年间形成的分歧,共同思考,一起工作和进行讨论。② 美国著名哲学家M.伯曼认为即使经历了20世纪末的共产主义剧变,在21世纪的今天,马克思主义的道路仍然没有过时。

---

① [英]哈罗德·约瑟夫·拉斯基:《〈共产党宣言〉社会主义的里程碑》,吴韵曦译,中国民主法治出版社2018年版,第112页。

② 靳辉明:《靳辉明文集》,辞书出版社2005年版,第421—422页。

《宣言》中的思想和知识是其他任何一本书都不能比拟的。[①]英国马克思主义地理学家大卫·哈维在《希望的空间》一书中持有类似观点。[②]

俄罗斯学者格·亚·巴加图利亚认为,《宣言》的基本内容今天仍然有效。例如,作为生产者阶级争取摆脱剥削和压迫的斗争纲领之坚固基础的辩证唯物主义的社会观和社会历史观;对基于生产资料私有制社会的基本矛盾的分析;对于社会根本改造成无产阶级的共产主义的分析,为实现这种改造,工人阶级必须在政治上组织起来并取得政治统治,创造条件使每个社会成员和整个社会得到自由发展,是向新的社会形态过渡的政治目标。[③]

美国学者熊彼特对《宣言》的经济学意义充分肯定,指出了其对经济社会学的三个贡献,认为马克思在撰写《宣言》时已经形成了经济社会学和经

[①] [美]M.伯曼:《马克思将是华尔街"下一个伟大的思想家"——新版〈共产党宣言〉序言》,宋欢欢译,载《马克思主义研究》2012年第3期。
[②] David Harvey, "Spaces of Hope", *CA: University of California Press*, 2000.
[③] 朱美荣:《国外学者聚焦发表160周年的〈共产党宣言〉》,载《当代世界与社会主义》2008年第4期。

济学的基本观点。①

《宣言》仍适用于当今的资本主义。我们认为，今天《宣言》的现实性和有效性首先在于，我们参与把《宣言》中所确定的思想变成现实的过程。为此，我们不是刻板地去理解这一有效性。正如恩格斯所指出的："每一种特定的经济形态都应当解决它自己的、从它本身产生的问题。"② 因此，创造性地继承《宣言》中的思想财富的过程绝没有结束。

吴晓明认为，《宣言》发表至今，三次科技革命促进了生产力的高速发展，两次世界大战催生了一批社会主义国家，经济危机促使自由资本主义转向垄断资本主义。虽然社会主义制度在经历了东欧剧变和苏联解体后遭到了很多人的怀疑，但这并不代表马克思主义的失败，它所揭示的历史发展规律没有过时，"马克思的幽灵仍然游荡于世界上空，或许还带着狡黠的微笑"③。

正如习近平所指出："从《共产党宣言》发表到

---

① ［美］约瑟夫·熊彼特：《〈共产党宣言〉在社会学和经济学中的地位》，载《马克思主义与现实》1997年第3期。
② 《马克思恩格斯全集》第4卷，人民出版社2012年版，第313页。
③ ［美］威廉·格雷德：《资本主义全球化的疯狂逻辑》，社会科学文献出版社2003年版，第40页。

今天，170年过去了，人类社会发生了翻天覆地的变化，但马克思主义所阐述的一般原理整个来说仍然是完全正确的。我们要坚持和运用辩证唯物主义和历史唯物主义的世界观和方法论，坚持和运用马克思主义立场、观点、方法，坚持和运用马克思主义关于世界的物质性及其发展规律，关于人类社会发展的自然性、历史性及其相关规律，关于人的解放和自由全面发展的规律，关于认识的本质及其发展规律等原理，坚持和运用马克思主义的实践观、群众观、阶级观、发展观、矛盾观，真正把马克思主义这个看家本领学精悟透用好。"①

丁堡骏指出："一方面，《宣言》是马克思主义的奠基著作，第一次全面系统地阐述了科学社会主义的基本原理。当代马克思主义者必须要始终坚持和不断完善发展这些基本理论和基本方法。另一方面，《宣言》又是面对1848年欧洲革命为世界第一个共产党组织——共产主义者同盟成立而撰写的一部纲领，因而它包含了一些具体政策措施，有较强的现实针对性。马克思主义者首先要肯定《宣言》

---

① 习近平：《在纪念马克思诞辰200周年大会上的讲话》，载《人民日报》2018年5月5日第2版。

所阐述的全新无产阶级的世界观和科学社会主义的基本理论。但是,无论是作为马克思主义基本理论阐述,还是作为共产主义者同盟面对1848年革命而做出的政策阐述,《宣言》都必须要与时俱进。作为政策阐述,要随着共产党组织的发展变化和其所处的社会历史条件的变化而产生新的宣言。作为马克思主义基本理论和基本方法阐述的宣言,也要不断地向前发展。习近平新时代中国特色社会主义思想是当代中国发展着的马克思主义,是实现两个一百年的奋斗目标、实现中华民族伟大复兴的中国梦的根本思想保证。"①

周新城同样驳斥"过时论"的观点,提出"不要用轻佻的态度对待马克思主义基本原理"的重要观点。"当下我国的意识形态领域存在一个怪现象,即否定马克思主义基本原理的得不到批判,宣传马克思主义基本原理的却遭到围攻。"要通过马克思主义基本原理与中国的实际情况紧密联系的正确方式,扭转这种意识形态领域的反常情况,探索中国

---

① 丁堡骏:《马克思恩格斯对〈共产党宣言〉与时俱进的发展及其当代启示》,载《马克思主义研究》2018年第12期。

自己的革命和建设的具体道路。①

金民卿主张在坚持底线、坚持与时俱进的原则下，对待马克思主义的研究持百花齐放、百家争鸣的态度。②

（二）关于"两个必然""两个决不会"的讨论

《宣言》中指出："随着大工业的发展，资产阶级赖以生产和占有产品的基础本身也就从它的脚下被挖掉了。它首先产生的是它自身的掘墓人。资产阶级的灭亡和无产阶级的胜利是同样不可避免的。"③这就是我们通常说的"两个必然"。关于"两个必然"的讨论主要从其含义、意义、时效性等方面展开。

张国胜、王国平认为，要深入领会"两个必然"的精神，必须弄清楚"两个必然"及其相关理论的真正历史坐标：从历史时限来看，"两个必然"学说只包括到1847年为止；从历史作用来看，《宣言》最初的历史作用仅仅是为世界上第一个无产阶

---

①② 靳晓春、李梦：《〈共产党宣言〉与马克思主义基本原理——"第三届全国马克思主义基本原理研讨会"综述》，载《马克思主义研究》2018年第11期。
③《马克思恩格斯全集》第1卷，人民出版社2012年版，第412—413页。

级政党创作的党纲;从历史任务来看,《宣言》是宣告现代资产阶级所有制的必然灭亡;从历史原则来看,对《宣言》基本原理的运用,必须随时随地以当时的历史条件为转移。在时效性方面,他们提出:第一,战后发达资本主义国家的新变化没有改变资本主义必然灭亡的命运;第二,低潮中的社会主义不会改变社会主义必然胜利的趋势。因此,必须坚定共产主义信念。① 郭荣华结合社会主义的前途命运,对"两个必然"理论进行再思考,认为尽管"两个必然"理论在论证时有两个估计不足的缺陷,但其基本原理并未过时,其真理光辉永存。东欧剧变并非社会主义的失败,而是苏联模式的失败,是未能坚持和发展马克思主义的结果。中国特色的社会主义开创了当代世界社会主义的新篇章,坚定了世界人民对社会主义的信心。② 原越南共产党中央政治局委员、国家政治学院院长阮德平认为:"马克思主义关于五种社会经济形态理论,是

---

① 张国胜、王国平:《对"两个必然"理论的再思考——纪念〈共产党宣言〉发表150周年》,载《理论探讨》1998年第6期。
② 郭荣华:《对"两个必然"和社会主义前途的再认识——新世纪之初重读〈共产党宣言〉》,载《江西社会科学》2001年第9期。

世界历史前进运动过程的概括结果。""世界在变，时代未变。时代的性质依然是1917年俄国十月革命开创的从资本主义向社会主义的时代，这一点并没有改变。"①

1848年欧洲革命失败后，东方反抗殖民统治的斗争不断高涨，马克思对对俄国、印度、中国等都做了初步的研究，时刻准备着大革命的再到来。然而，1857年世界性的经济危机也未能爆发大规模的革命运动，于是，马克思修正了"两个必然"②。马克思在其1859年《〈政治经济学批判〉序言》中指出："无论哪一个社会形态，在它所能容纳的全部生产力发挥出来以前，是决不会灭亡的；而新的更高的生产关系，在它的物质存在条件在旧社会的胎胞里成熟以前，是决不会出现的。"③在进一步研究政治经济学的基础上马克思提出了"两个决不会"的思想，把大革命到来的时间及经济危机造成的影响都重新做了预测。

---

① 阮德平：《继续坚定、创造性地走社会主义道路》，载《政治学研究》2007年第4期。
② 顾海良：《马克思主义发展史》，中国人民大学出版社2009年版，第187页。
③ 《马克思恩格斯文集》第2卷，人民出版社2009年版，第592页。

学者们对于"两个必然"和"两个决不会"关系的讨论有着不同观点。

一种是片面、静态、孤立地看待二者之间的联系。他们把1848年欧洲革命失败作为一个转折点，认为马克思、恩格斯从哲学"必然性"的思维退居到了现实的政治经济学，不再理直气壮地认为"两个必然"很快就会实现，即使仍坚持原有观点，也是退而求其次的。最早的修正主义者是德国社会民主党人伯恩斯坦，在经济上，他强调马克思设想的、在推翻资本主义私有制之后才能出现的经济现象，实际上在资本主义社会内部已经产生了；由此而谈论现存社会"长入"社会主义的问题，"并不是错误的"。在政治上，为资本主义殖民政策辩护，即把落后民族纳入文明化制度中；宣扬"和平长入"社会主义，反对阶级斗争学说；在意识形态上，企图用新康德主义改造马克思主义，否定"经济决定论"，认为"社会主义的胜利并不取决于它的内在的经济必然性。我认为既没有可能，也没有必需赋予它以纯粹物质的基础"①。与此同时，以

---

① ［德］伯恩斯坦：《社会主义前提和社会民主党的任务》，上海三联书店1965年版，第31页。

麦克唐纳、奥托·鲍威尔为代表的右派开始全面修正马克思主义。他们认为,随着第二次产业革命的到来,社会并没有像马克思所分析的那样越来越分裂成两大对立的阶级,而是社会结构日益复杂化,中、小企业继续存在,中等阶层得以维持下来。由于私营经济管理任务和公共行政任务的增多,这一中等阶层又从职员和公务员构成的"新中等阶层"得到补充。工人阶级本身也表现出教育程度、职业地位和收入方面的内部分化日益加深的趋势。① 美国学者福山认为:"苏联倒台具有'历史终结'和'资本主义永存'的意义,从1848年马克思和恩格斯发表《共产党宣言》到20世纪末期间的许多有进步思想的知识分子相信历史会有个尽头,历史发展的过程最终在共产主义的乌托邦时代彻底结束。人类历史进程的方向好像不是指向共产主义,而是指向马克思所说的资产阶级民主。"②

另一种观点是辩证、联系、发展地看待二者之

---

① [德]托马斯·迈尔:《社会民主主义导论》,殷叙彝译,中央编译出版社1996年版,第45页。
② [美]弗兰西斯·福山:《历史的终结》,黄胜强等译,远方出版社1998年版,第70页。

间的联系。马克思在《1844年经济学哲学手稿》中曾提出:"共产主义是私有财产即人的自我异化的积极的扬弃。"① 由此,马克思、恩格斯对1848年欧洲大革命失败的总结以及对资本主义制度的深入研究是为了进一步补充和发展"两个必然"。

梅荣政、张乾元认为:"'两个决不会'的最终目的仍是论证'两个必然'的正确性。'两个必然'和'两个决不会'论断都是社会基本矛盾运动规律的体现,二者是内在的高度统一的理论。'两个决不会'是人类社会矛盾运动的一般规律的体现,'两个必然'则是这一规律在资本主义社会运动的最终结果。就资本主义社会发展趋势而言,'两个决不会'具有相对性,是'两个必然'的内在要求;'两个必然'理论中包含着'两个决不会'思想,是'两个决不会'运动的最终结果。'两个必然'是关于资本主义社会发展趋势的思想表达;'两个决不会'是关于人类社会发展过程中生产力和生产关系矛盾运动状况及其社会演进方式的思想

---

① 《马克思恩格斯全集》第42卷,人民出版社1979年版,第120页。

阐述。"① 金仁权也有类似的观点,"'两个必然'是客观的必然性,'两个决不会'是客观必然性实现的时间和条件;'两个必然'是对特定的社会形态而言,'两个决不会'是对每一个社会形态而言;'两个必然'是对发展中的质变而言,'两个决不会'是对发展中的量变而言。'两个必然'是对社会形态未来发展而言,'两个决不会'是对现实时代而言。根据马克思的观点,社会形态的发展是一种自然历史过程,一种社会形态经过许多不同的时代而转化为另一种社会形态"②。周循认为,"两个必然"揭示了社会历史发展的大趋势,"两个决不会"则揭示了无产阶级胜利和资产阶级灭亡的长期性和曲折性。③

邰丽华对"两个必然"理论做出论证。她从两条理论路径——生产力与生产关系矛盾运动规律和拜物教理论出发论证了资本主义被替代的必然性和社会主义的可行性,并对当下存在的对"两个必

---

① 梅荣政、张乾元:《"两个必然"和"两个决不会"的内在统一》,载《中国人民大学学报》2005年第3期。
② 金仁权:《"两个决不会"是对时代的核心解释》,载《延边大学学报》(社会科学版)2008年第1期。
③ 周循:《科学社会主义理论与实践》,陕西人民出版社2007年版。

然"理论的误解进行了澄清,为该理论研究提供了新的研究思路。她指出,首先,马克思关于"两个决不会"的论述是理解"两个必然"的关键。其次,苏联解体东欧剧变不能成为"两个必然"的反证,马克思主义经典作家视野中的社会主义仍然是长期奋斗的目标。最后,马克思主义经典作家关于未来社会的设想从来没有统一和固定的模式,新时代中国特色社会主义是在坚持马克思主义基础上探索社会主义多样性与差异化的有益尝试。①

(三)科学社会主义的理论特质(历史唯物主义)

《宣言》的发表,标志着科学社会主义学说正式诞生,恩格斯一再指出,《宣言》中始终贯彻的基本思想是唯物史观。马克思、恩格斯在批判性地吸收空想社会主义合理成分的基础上,运用唯物史观和剩余价值理论考察资本主义社会的基本矛盾,创立了科学社会主义,实现了社会主义从空想到科学的伟大变革。

---

① 靳晓春、李梦:《〈共产党宣言〉与马克思主义基本原理——"第三届全国马克思主义基本原理研讨会"综述》,载《马克思主义研究》2018年第11期。

施德福、靳辉明指出，《宣言》是马克思、恩格斯根据刚刚创立的历史唯物主义理论为无产阶级政党起草的第一个政治纲领，标志着马克思主义哲学在工人运动的革命实践中的第一次运用。在这个历史性的纲领文件中，体现了马克思、恩格斯的彻底的唯物主义和深刻的辩证法思想，它第一次将无产阶级的革命运动奠定在科学理论的基础上，成为无产阶级的第一个政治纲领[1]。

在马克思主义的理论语言和概念体系中，"科学社会主义"与"科学共产主义"是同义和通用的，并且有广义和狭义之分。广义的"科学社会主义学说，也就是马克思主义"[2]。而狭义的即严格意义上的科学社会主义，是列宁根据马克思主义体系的内在结构，特别是以恩格斯的《反杜林论》中的三分法为依据，从而在他写的《马克思主义的三个来源和三个组成部分》的论文中，明确地使之与马克思主义的哲学、政治经济学相并列，而成为马克思主义的三个基本的组成部分之一。

---

[1] 施德福、靳辉明主编：《马克思主义哲学史》第1卷，北京出版社1991年版，第564页。
[2] 《列宁全集》第6卷，人民出版社1986年版，第251页。

马克思和恩格斯创立的科学社会主义,既是科学的理论,也是革命的理论,是科学性和革命性的内在的和高度的统一。马克思在《哲学的贫困》中指出:"在无产阶级尚未发展到足以确立为一个阶级,因而无产阶级同资产阶级的斗争尚未带政治性以前,在生产力在资产阶级本身的怀抱里尚未发展到足以使人看到解放无产阶级和建立新社会必备的物质条件以前,这些理论家不过是一些空想主义者,他们为了满足被压迫阶级的需要,想出各种各样的体系并且力求探寻一种革新的科学。但是随着历史的演进以及无产阶级斗争的日益明显,他们就不再需要在自己的头脑里找寻科学了;他们只要注意眼前发生的事情,并且把这些事情表达出来就行了。当他们还在探寻科学和只是创立体系的时候,当他们的斗争刚刚开始的时候,他们认为贫困不过是贫困,他们看不出它能够推翻旧社会的革命的破坏的一面。但是一旦看到这一面,这个由历史运动产生并且充分自觉地参与历史运动的科学就不再是空论,而是革命的科学了。"[①] 马克思的科学社会主

---

① 《马克思恩格斯全集》第 1 卷,人民出版社 2012 年版,第 235—236 页。

义作为"革命无产阶级的思想体系赢得了世界历史性的意义,是因为它并没有抛弃资产阶级时代最宝贵的成就,相反却吸收和改造了两千多年来人类思想和文化发展中一切有价值的东西"①。

科学社会主义的科学基础在于实践,因而具有实践特性。科学社会主义之所以是科学,就在于它是对近现代资本主义社会发展规律和发展趋势的正确反映,是对无产阶级和资产阶级的阶级斗争实质和发展前景的正确反映,是对无产阶级革命规律和社会主义建设规律的正确反映。用马克思的话来说,在当时,"我们是从世界本身的原理中为世界阐发新原理"。即"只是希望在批判旧世界中发现新世界""我指的就是要对现存的一切进行无情的批判,所谓无情,意义有二,即这种批判不怕自己所作的结论,临到触犯当权者时也不退缩""所以,什么也阻碍不了我们把我们的批判和政治的批判结合起来,和这些人的明确的政治立场结合起来,因而也就是把我们的批判和实际斗争结合起来,并把批

---

① 《列宁选集》第4卷,人民出版社1995年版,第199页。

判和实际斗争做同一件事情"。① 第一，科学社会主义赖以立足的社会实践，首先和大量的是整个人类已有的全部实践，即大量的是间接的实践。第二，科学社会主义赖以立足的革命实践，是由它所指导的各国无产阶级的社会主义运动。恩格斯说："社会主义现在已经不再被看作某个天才头脑的偶然发现，而被看作两个历史地产生的阶级即无产阶级和资产阶级之间斗争的必然产物。"② 第三，科学社会主义赖以立足的直接的社会实践，是社会主义建设的实践。科学社会主义的历史性的任务是改造旧社会、建设新社会。如果说，社会主义革命的第一个任务是要破坏一个资本主义的旧世界的话，那么，其后更重要、更艰巨、更伟大的任务就是要建设一个社会主义的新世界。列宁说过："对俄国来说，根据书本争论社会主义纲领的时代也已经过去了，我深信已经一去不复返了。今天只能根据经验来谈论社会主义。"③

列宁指出："他们应当懂得，现在一切都在于实

---

① 《马克思恩格斯全集》第1卷，人民出版社1956年版，第416—418页。
②③ 《马克思恩格斯选集》第3卷，人民出版社1995年版，第739页。

践,现在已经到了这样一个历史关头:理论在变为实践,理论由实践赋予活力,由实践来修正,由实践来检验。"①从其科学性上看,马克思的科学社会主义作为"革命无产阶级的思想体系赢得了世界历史性的意义,是因为它并没有抛弃资产阶级时代最宝贵的成就,相反却吸收和改造了两千多年来人类思想和文化发展中一切有价值的东西"②。而且它在被创立之后,还要继续从世界各国的实践、科学和文化的发展中不断吸取营养。科学社会主义永远是人类思想精华的结晶。从其革命性上看,马克思的科学社会主义不仅在理论上是对空想社会主义的革命性的改造和质的飞跃,即社会改良的理论质变为社会革命的理论;而且它还主张在实践上对资本主义社会进行彻底的革命和改造,即用无产阶级、无剥削的社会主义社会和共产主义社会取而代之。科学社会主义是最彻底的社会革命理论。对此,列宁认为:"这一理论对世界各国社会主义者所具有的不可遏止的吸引力,就在于它把严格的和高度的科学性(它是社会科学的最新成就)同革命性结合起

---

① 《列宁选集》第3卷,人民出版社1995年版,第381页。
② 《列宁选集》第4卷,人民出版社1995年版,第299页。

来,并且不仅仅是因为学说的创始人兼有学者和革命家的品质而偶然地结合起来,而是把二者内在地和不可分割地结合在这个理论本身中。"①

陈先达指出,"唯物史观是《共产党宣言》的核心",《宣言》高度凝结了19世纪40年代末期,马克思和恩格斯在哲学、经济学、科学社会主义学说上已取得的重大成就,其中特别是唯物史观。在《宣言》中,马克思卓越地应用了唯物史观来研究全部近现代史,分析资本主义社会的结构,她摒弃了抽象的道德原则、天赋的权利、永恒的理性以及公平、正义、平等之类的永恒真理,从历史本身来阐述历史的规律。《宣言》极其生动地、鲜明地、无可辩驳地显示了唯物史观的科学性和实践性,表明它是唯一科学的历史观和方法论。②

意大利的第一个马克思主义者安东尼奥·拉布里奥拉认为:"这一著作的中枢、实质和决定性特点完全贯穿着新的历史观。它赋予这一著作以生气,并在这一著作中部分地得到了阐明和发挥。由

---

① 《列宁选集》第1卷,人民出版社1995年版,第299页。
② 陈先达:《走向历史的深处:马克思历史观研究》,北京师范大学出版社2017年版,第418页。

于有了这一历史观,共产主义不再是一种希望、一种思念、一种回忆、一种猜想、一种出路,它第一次恰当地表现为意识到它的必然性,也就是意识到它是结束或解决当前阶级斗争的办法。"①

德国学者蕾娜特·默克尔的观点是"科学的历史观是科学共产主义的前提"。在分析"全部社会的历史就是阶级斗争的历史"时指出,当马克思和恩格斯面临如何论证工人阶级的斗争这一问题时,他们的出发点是:只有首先揭示人类社会的普遍规律,才能指明工人阶级的斗争的目标和方向。科学的历史观是科学共产主义的前提。②

林剑认为,在《宣言》中,马克思、恩格斯依据唯物主义历史观的理论逻辑,曾对资本主义发展趋势做出过三个预测:其一,资产阶级社会的阶级结构与阶级对立越来越简化;其二,生产资料与社会财富越来越向少数人手中集中与聚集;其三,周期性的经济危机一次比一次更深刻,资产阶级用来

---

① [意]安东尼奥·拉布里奥拉:《关于历史唯物主义》,杨启潾等译,人民出版社1984年版,第5页。
② [德]蕾娜特·默克尔:《〈共产党宣言〉——马克思恩格斯著作介绍》,载《马克思恩格斯列宁斯大林研究》1997年第2辑。

解决危机的办法越来越少。《宣言》诞生以来170年资本主义发展的历史使马克思、恩格斯的上述预测得到了充分的验证，从而也显示了作为三个预测的理论基础的唯物主义历史观的科学性与力量。①

戴亮将空间思维与历史思维视作马克思历史唯物主义研究的两条重要理论线索。从空间思维出发，认为"马克思的空间思维不同于以往的历史主导性研究，其空间思维相较于历史思维更具社会研究的停驻性。这种停驻性为我们把握不同时代特征提供了更为科学的现实依据。在《共产党宣言》中，马克思首次系统地阐释了其空间思维的理论逻辑，其中资本扩张为动因，社会空间为表现形式，人的解放是空间变化的目的和归宿。研究具有综合性意义的空间思维对于指导我国新时代社会空间综合治理具有重要的理论价值"②。

（四）马克思对资产阶级现代性的研究

在现代性问题上，一方面，马克思是现代性的

---

① 林剑：《〈共产党宣言〉关于资本主义的三个预测及其历史验证》，载《马克思主义与现实》2017年第5期。
② 戴亮：《〈共产党宣言〉的空间思维探究》，载《山西大同大学学报》（社会科学版）2019年第2期。

坚定维护者，马克思思想中存在着大量与现代性的主导性价值完全相契合的观念，如赞扬理性、启蒙、自由、解放，肯定科学技术的重大社会进步意义，对现代社会的未来发展充满了激情与希望。另一方面，他又是现代性的批判者，马克思一生的工作就是批判现代资本主义社会、批判资本主义的现代性。正如伊格尔顿所说："马克思在赞美现代的巨大成就方面超过了未来主义，同时以它对这一时代的无情谴责超过了反资本主义的浪漫派。它既是启蒙主义的后裔又是它的内在批判者，不能用当前西方文化争论中时髦的赞成或反对现代主义的现成用语对它做出轻易的界定。现代主义本身在这个问题上就是非常混乱的，它依赖着现代性，所以决不会真的反叛现代性。后现代主义要么使过去商品化，要么抹掉过去。唯独马克思主义鲜明地坚持了辩证法思想，就是说，现代历史是文明和野蛮不可分离的历史，既与浪漫主义的怀旧思想相对立，也与现代化的自鸣得意相抵触。"①

马克思从人类文明的高度揭示现代化产生的历

---

① ［英］伊格尔顿：《历史中的政治、哲学、爱欲》，马海良译，中国社会科学出版社1999年版，第108页。

史必然性。马克思在对现代性生成的历史中探寻现代社会形成的历史基础和内在必然性,揭示人类文明发展的历史必然,表明现代性的历史必然性,这是马克思现代性理论与保守主义的反现代性理论的最本质区别。马克思认为,现代性意味着对于传统的批判与超越,它不光是引起了生产关系和生活方式的变革,也促使了政治上层建筑的极大变革,带动了思维方式、情感方式的全面更新,进而引起社会生活的全面变革、全球性的社会变迁和新的文明类型的创造过程。而这些进程对社会历史的发展起着巨大的推动作用。马克思在《宣言》中有过非常精辟的阐述"资产阶级在它的不到一百年的阶级统治中所创造的生产力,比它过去一切时代所创造的生产力还要多、还要大"[①]。资产阶级"创造了完全不同于埃及金字塔、罗马水道和哥特式教堂的奇迹,它完成了完全不同于民族大迁移和十字军东征的远征"[②]。资产阶级的远征将现代性推向了全球,使每一个国家、民族自觉不自觉地被卷入了现代性的风暴中。全球化使每个国家、民族的发展都汇入

---

① 《马克思恩格斯全集》第1卷,人民出版社2012年版,第405页。
② 《马克思恩格斯全集》第1卷,人民出版社2012年版,第403页。

了人类发展历史的洪流中来,彼此不可分割,于是每个民族甚至个人的发展、发明都会迅速传遍全球,避免了封闭状态下人们所走的历史弯路,加速了世界历史的进程。

马克思不仅看到了现代性的历史必然性和积极方面,还尤其关注着现代性的负面价值与消极方面,并深入展开对现代性负面价值的病理学分析和批判。从总体上看,马克思对于现代性的批判集中于现代性的资本主义性质,和由此种性质带来的人与物质世界、人与社会世界和人与自身关系的颠倒,尤其资本主义给无产阶级和劳动群众所带来的贫穷和奴役。马克思认为资本主义的本性是贪婪,"资本来到世间,从头到脚每一个毛孔都滴着血和肮脏的东西"①。马克思对资本主义现代性的批判超越了世纪的那种美学批判,转而对意识形态和政治经济学进行批判,这集中体现在马克思对资本主义和殖民主义在全球化过程中不断扩展的论述上。资本主义虽然在其殖民地摧毁了旧的社会结构,带去了一定的现代化,但也给殖民地人民带去了深重的

---

① 《马克思恩格斯全集》第23卷,人民出版社1974年版,第829页。

灾难。这种强制倾销观念、制度的过程其结果是一方面；处于中心的社会和国家控制着世界市场，掠夺了巨大的财富是另一方面。处于世界边缘的国家则深受中心国家的剥削和控制，不但分享不到现代性带来的好处，反而日益贫困。这样世界的两极化严重，矛盾日益加剧，种种社会问题层出不穷。马克思并没有彻底否定现代性的价值。"现代性危机"并不意味着现代性所承诺的关于人和社会的价值理想已经破灭，更不意味着现代性已完全失去了发展的潜力，而只是表明人们实现价值理想的方式和途径出了问题。通过终结资产阶级所有制的霸权地位，推翻资本主义关系，使现代性所蕴含的潜能将以一种在资本主义社会体系中所不可能提供的方式得到充分的发挥，现代性所承诺的关于人和社会的价值理想才能真正实现。

本德指出，《宣言》中最激动人心的是它开头那句横扫一切的历史性论断："至今一切社会的历史都是阶级斗争的历史。"这一论断的依据是对历史唯物主义的解释，在马克思去世后被称为"历史唯物主义"，是马克思和恩格斯在19世纪40年代，主要是在《德意志意识形态》(1845—1846年)中共同创立的。按他们的观点，历史的基础是物质生产，社会生活一般说来最终依赖于生产过程的阶级动力。历史唯物主义的目的是分析无产阶级的社会政治地位，从而指导无产阶级进行反对资产阶级的斗争。马克思的目标是条分缕析地阐释所有的社会现象，把无数似乎并不相关的社会生活事实看成在一个受着隐蔽或公开的阶级对抗限制的整体中所固有的，不管参与者是不是意识到了这一点。马克思相信，这种潜在的阶级对抗的概念，资产阶级及其社会科学是根本不能理解的。自由主义理论家把资产阶级社会描绘成在道德上是合法的；他们决不会承认异化和非人化。①

卢卡奇在分析中指出，对资产阶级来说："按照永恒正确的类型来理解它自己的生产制度，这是件生死攸关的大事：它必须把资本主义看成永恒的自然法则和理性法则所注定的永恒存在。相反的，那些不可忽视的矛盾必须被看成纯粹表面的现象，与

---

① ［美］F.L.本德：《〈共产党宣言〉的历史和理论背景》，载《马克思恩格斯列宁斯大林研究》1997年第4辑。

这种生产方式无关。"① 马克思的方法基本上是批判的方法,无论是直接针对资产阶级社会制度,还是针对资产阶级在社会科学或哲学领域所做的理论上的辩护。马克思思想的生命力就在于它的批判性和否定性的辩证法,尤其是作为重建者的马克思哲学,为当代中国现代性的建构提供了十分宝贵的思想财富。

孙代尧认为,这是一部反思"现代性"的后现代主义著作。《宣言》凸显了资本主义"现代性"的矛盾,表达了马克思、恩格斯对资本主义现代性的独特体验。

吴晓明指出,现代性作为现代世界之本质的根据,包含两个基本支柱,即资本和现代形而上学。资本和现代形而上学是彼此支撑、彼此拱卫的,正像前者构成后者的世俗基础和强大动力一样,后者乃成为前者的观念领域,成为它的理论纲领,以及它获得慰藉和辩护的总根据。② 在现代性由此开展

---

① [匈]格奥尔格·卢卡奇:《历史与阶级意识》,麻省工学院出版社1971年版,第10—11页。
② 吴晓明:《马克思对现代性的双重批判》,载《学术月刊》2006年第2期。

出来的世界中，资本和现代形而上学有着最关本质的内在联系，或者说，有着最关本质的"共谋"关系。正是由于把握住了资本与形而上学之间内在的本质勾连，所以在马克思那里，对资本的具有原则高度的批判，必定同时也是对现代形而上学的批判，就像对现代形而上学的决定性批判最终也必须要深入到对资本的批判中去一样。

杨谦、张婷婷侧重于对《宣言》的现代性及其当代话语进行研究，认为"《共产党宣言》是集中体现现代性思想的重要著作。《共产党宣言》中，马克思、恩格斯通过对启蒙理性的祛魅反思，对资本主义社会及其生产方式进行政治和经济的双重批判，提出以无产阶级为主体力量的扬弃资本主义现代性的共产主义运动。习近平新时代中国特色社会主义思想作为21世纪的马克思主义，是马克思主义现代性论域的当代话语。它展开与马克思主义现代性思想的直接对话，对《共产党宣言》进行研究和阐释，进一步回答了具有普遍意义的现代性难题，为新时代中国特色社会主义、世界社会主义的发展指明了正确道路和方向"①。

(五) 世界历史理论与全球化

世界历史理论是马克思恩格斯研究的重要部分。对于马克思世界历史理论的研究，目前文献主要涉及世界历史的概念、世界历史理论的形成与发展、世界历史理论的思想渊源以及它的未来趋势等方面。在新时代，更多的学者结合全球化发展的现实情况，探讨包括全球治理、构建人类命运共同体等在内的相关问题与世界历史理论的关系。

王永贵等人认为，马克思、恩格斯早就从"世界历史"的理论形态出发对全球化问题做过科学预见和精辟论证。马克思恩格斯的全球化思想首先集中体现在他们合著的《德意志意识形态》中，并在《宣言》和《资本论》等著作中得到进一步阐发。②

在《宣言》的"资产者和无产者"一节中，马克思对世界历史理论作了一个详细而形象的阐述。马克思通过对现实社会的深入研究，以敏锐的眼

---

① 杨谦、张婷婷：《〈共产党宣言〉中现代性思想及其当代话语》，载《兰州大学学报》(社会科学版) 2018 年第 6 期。

② 王永贵、范桂萍：《解读全球化与社会主义问题的一把理论钥匙——马克思恩格斯的全球化思想及其时代价值》，载《理论探讨》2002 年第 3 期。

光准确地捕捉到了"历史向世界历史转变"这一趋势,并断言是资本主义大工业开创了世界历史,早在《德意志意识形态》中他就指出:"因为它使每个文明国家以及这些国家中的每一个人的需要的满足都依赖于整个世界,因为它消灭了各国以往自然形成的闭关自守的状态。"① 在《宣言》中指出:"大工业建立了由美洲的发现所准备好的世界市场。"②

随着资本主义大工业的发展,以往存在的那些限制民族和国家交往的自然隔阂和屏障逐一被打破,民族与民族、国家与国家之间越来越成为一个整体。"资产阶级在历史上曾经起过非常革命的作用。"③ 资产阶级奔走于全球各地,使一切国家的生产和消费都成了全球性的,过去那种地方和民族的自给自足和闭关自守状态,被各民族、各方面的互相往来和互相依赖所替代。世界历史是物质生产活动发展的产物,正如马克思在《德意志意识形态》所指出的:"各个相互影响的活动范围在这个发展

---

① 《马克思恩格斯全集》第 1 卷,人民出版社 2012 年版,第 194 页。
② 《马克思恩格斯全集》第 1 卷,人民出版社 2012 年版,第 401 页。
③ 《马克思恩格斯全集》第 1 卷,人民出版社 2012 年版,第 402—403 页。

进程中越是扩大,各民族的原始封闭状态由于日益完善的生产方式、交往以及因交往而自然形成的不同民族之间的分工消灭得越是彻底,历史也就越是成为世界历史。例如,如果在英国发明了一种机器,它夺走了印度和中国的无数劳动者的饭碗,并引起这些国家的整个生存形式的改变,那么,这个发明便成为一个世界历史性的事实;同样,砂糖和咖啡是这样来表明自己在19世纪具有的世纪意义的:拿破仑的大陆体系所引起的这两种产品的匮乏推动了德国人起来反抗拿破仑,从而就成为光荣的1813年解放战争的现实基础。由此可见,历史向世界历史的转变,不是'自我意识'、世界精神或者某个形而上学幽灵的某种纯粹的抽象行动,而是完全物质的、可以通过经验证明的行动,每一个过着实际生活的,需要吃、喝、穿的个人都可以证明这种行动。"[1]

世界历史是随着资本主义大工业的产生而出现的历史发展的新阶段。马克思所讲的世界历史是作为一个物质的过程,即物质资料生产的发展过程来

---

[1] 《马克思恩格斯全集》第1卷,人民出版社2012年版,第168—169页。

理解的。世界历史就是各个世代的依次交替，每一代都利用以前各代遗留下来的生产力，并在此基础上创造新的生产力，这就是人类的实在的历史。《政治经济学批判》导言曾有说明："世界史不是过去一直存在的；作为世界史的历史是结果。"[1]世界历史是一个过程，它是由中世纪以来生产力、分工和交往的发展所造成。历史从民族的、国家的向世界历史转变，这一趋势不可阻挡，全球化正是上述过程的继续和深化。

《宣言》中蕴含的世界历史理论正是对当今世界全球化的预言，同时也为全球化研究提供了唯物史观的理论基础。《宣言》形象地描绘了随着资本主义生产方式的确立和发展，整个世界形成相互联系的、整体的生动画面，以地理大发现为契机，以科技革命为动力，以资产阶级为主导的社会化大生产，开创了资本主义大工业，使社会生产力达到了前所未有的高度，从根本上推动了历史向世界历史转变，世界历史就是由生产力发展以及由此产生的交往普遍发展而引起的。在当代，马克思当年所描

---

[1]《马克思恩格斯全集》第2卷，人民出版社2012年版，第710页。

绘的世界历史进程大大加快了。

日本学者伊藤诚（Makado Itoh）指出，《宣言》中预见到资本主义通过世界市场的扩大和深化，带来了生产、消费和文明的相互依存和世界化，在当今资本主义全球化经营中令人再次想起这一预见适用于现代。①

西方学者在研究全球化以及资本主义经济危机过程中强调了《共产党宣言》的重要性。英国马克思主义历史学家艾瑞克·霍布斯邦②、英国经济专栏作家约翰·米克尔斯威特③、英国作家弗朗西斯·惠恩不约而同地指出马克思这位伟大的哲学家准确地预计到了全球化和经济危机。弗朗西斯·惠恩引用纽约华尔街一家金融机构的老板的话说："我在华尔街待的时间越长，越确信马克思的认识是看待资本主义最好的方式。"因为，当这位老板第一次读到马克思的书时，便发现"那些关于全球化、

---

① 丰子义、杨学功：《马克思世界历史理论与全球化》，人民出版社2002年版，第211页。
② Eric Hobsbawm, "Introduction" to *The Communist Manifesto: a Modern Edition*, Verso, 1998.
③ John Micklethweit, "A Future Perfect:The Challenge and Promise of Globalization", *Random House*, Inc, 2003.

不公平、政治丑闻、垄断、技术进步、文化的下滑、现代社会的蜕化腐败等一些绝妙的论述",都可以在现实的资本主义社会中找到。①剑桥大学教授加累斯·斯特德曼·琼斯指出,《宣言》所触及的现实性是惊人的,学者们现在研究的许多热点问题,例如全球化、世界经济走势、资本主义、公司化等,都被写进了《宣言》,在1848年尚没有其他文献能谈到这些问题。②加州大学伯克利分校教授米歇尔·布洛维认为,《宣言》勾勒出了当今资本主义可能会遇到的挑战,并构想了替代资本主义的社会模式,它从当时已经存在的,勾勒出了将会遇到的;从现实已有的,提炼出潜在的,从而激励并抓住了一代又一代人的想象。③英国学者约·格雷说:"长期以来《共产党宣言》中似乎与时代最不合拍的东西,现在看起来显示了其预见性。"美国的约·卡西迪认为,马克思"写下了关于全球化、

---

① Francis Wheen, *Marx's "Das Kapital": A Biography*, Atlantic Books, 2006.
② Gareth Stedman Jones, "Introduction" to *The Communist Manifesto*, Penguin, 2002.
③ Michael Burawoy. "Marxism after Communism", *Theory and Society*, Vol.29, No.2, pp.151-174.

不平等、政治腐败、垄断化、技术进步、高雅化的衰落、现代生存的萎靡不振的性质等动人的段落，现代经济学家们又碰到了这些问题，他们有时并没有意识到自己在步马克思的后尘"。"'全球化'是20世纪末每个人都谈论的时髦词语，但150年前马克思就预见到它的许多后果。"①

丰子义认为，全球化的出现产生了巨大而深远的影响。重新认识马克思的"世界历史"理论具有重要的理论意义和实践价值。"为此，必须对马克思'世界历史'理论研究中一些存在分歧的问题给予必要的解释和说明，使马克思理论的内在精神真正趋向现实。""马克思没有经历过今天这样的全球化时代，当然也不会遇到像今天这样的全球性问题，因而不可能对全球化展开全面论述，形成系统性的全球化理论。但是，马克思又确实从全球的视野来考察近代以来的社会历史发展，阐发了非常丰富的'世界历史'思想。这一思想尽管散见于不同的论述之中，而且针对的对象、论述的问题也不尽相同，但这些论述和看法并非零敲碎打、彼此孤立

---

① ［美］约翰·卡西迪著，《马克思回归》，童建挺译，《全球化时代的"马克思主义"》，中央编译出版社1998年，第4页。

的，而是内在地联系在一起的。""马克思的'世界历史'理论是否仅仅属于一般社会历史理论，而不属于社会发展具体问题的理论，这要具体分析。"①

陈培永认为："《宣言》提供的重要启示是，人类社会的历史向世界历史的转变，全球化的进程，并不是一片光明、满是进步，而是伴着问题和代价。但是我们不能因为问题和代价就否定资本扩张带来的世界历史的进步性，不能因为引入资本逻辑、向世界开放可能会遇到问题甚至付出代价，就选择不进入世界历史的轨道上。"②"一个国家能不能富强，一个民族能不能振兴，很重要的一个方面就是看这个国家、这个民族能不能顺应世界历史的进程，加入全球化之中，掌握历史前进的主动权。中国选择改革开放、引入资本运作、以市场经济发展社会主义，其实就是顺应了这一历史进程，它并不是对马克思、恩格斯思想的背离，而是真正地坚持

---

① 丰子义：《正确理解和把握马克思的世界历史理论》，载《教育与研究》2004年第3期。
② 陈培永：《〈共产党宣言〉的新时代阐释重解核心关键词》，中国社会科学出版社2018年版，第36页。

和贯彻。"①

刘明华以《宣言》为文本依据,紧密联系资本主义的全球扩张过程和世界范围的社会主义发展历史,着力从全球化视域论证了"两个必然"原理及其实践历程,同时从《宣言》的全球化二重性思想的两个基础理论(阶级斗争理论、生产理论)的中国化视角,论证了"两个必然"在世界、在中国的运动轨迹和规律,并在此基础上提出了中国特色社会主义在全球化进程中的战略选择和应对策略。认为《宣言》全球性传播本身也是一种全球化,是研究其全球化思想的入口和前提;《宣言》内含着全球化二重性思想,完整阐释其关于全球化的基本立场和基本观点。②

近年来,全球治理成为学界研究全球化的聚焦点之一,刘勇、王怀信在回顾《宣言》中的理论主题时从中探寻到了全球治理体系变革的方法论等问题。尽管在《宣言》发表时,还没有提出全球治理

---

① 陈培永:《〈共产党宣言〉的新时代阐释重解核心关键词》,中国社会科学出版社2018年版,第37页。
② 刘明华:《〈共产党宣言〉全球化二重性思想研究》,人民出版社2012年版,第167—168页。

的概念,"马克思恩格斯在其中所揭示的生产力决定论的前提条件、政党责任论的核心力量、制度创新论的路径选择以及人民中心论的价值目标等理论主题,深刻回答了全球化的演变规律,为推动全球治理体系变革提供了重要的方法论启示"[①]。

冯莉、肖巍同样从全球治理视角对世界历史理论进行解读。他们认为:"在《共产党宣言》中,马克思恩格斯不仅明确揭示了资本在历史转向世界史的过程中所发挥的巨大促进作用,肯定了资本和资本主义在推进人类文明进程中的历史功绩,而且也指出了以输出战争和资本为主要手段的资本主义全球治理特征。实际上,资本主义发展到今天,这种全球治理思维在实质上并没有发生根本变化,反而是随着现代政党政治的发展加速了全球范围内资本主义的固有矛盾,其区别仅仅在于手段更加隐蔽和高科技化。由此导致了在西方资本主义国家,国家利益和大众利益必须服从于资本利益,这是资本主义之所以陷入巨大危机的根本所在。这个矛盾不解决,不能实现资本的'祛魅'和实现社会原则高

---

① 刘勇、王怀信:《〈共产党宣言〉的理论主题与全球治理体系变革》,载《河海大学学报》(哲学社会科学版)2019年第2期。

于资本原则,资本主义的帝国主义本性也就难以根除。但归根结底,全球治理的最终目标和最大的善只能是构建人类命运共同体,人类社会发展的中心和落脚点也只能是人本身,任何对此原则的偏离都最终会被历史抛弃。"①

(六)资本主义与社会主义的关系

揭示和证明资本主义的必然灭亡和社会主义的必然胜利,是《宣言》的主要任务。《宣言》在论证这个问题时,总的来讲,运用的是生产力决定生产关系这一历史唯物主义的基本原理和方法。

生产力水平是决定社会制度优劣的最高标准,生产关系能否继续适应生产力的发展是社会形态更替的根本依据。《宣言》指出,尽管资产阶级在经济上创造了人类从未有过的奇迹,但是它却并没有消灭阶级剥削和阶级压迫,"它只是用新的阶级、新的压迫条件、新的斗争形式代替了旧的"②。《宣言》深刻地揭露和批判了资本主义的发展给无

---

① 冯莉、肖巍:《资本、战争与全球治理——从〈共产党宣言〉到〈帝国主义论〉及其他》,载《复旦学报》(社会科学版)2018年第6期。
② 《马克思恩格斯全集》第1卷,人民出版社2012年版,第401页。

产阶级和广大劳动人民以及整个社会带来的痛苦和灾难,指出资产阶级破坏了一切田园诗般的关系,把人与人的关系变成了纯粹金钱关系,把神圣的情感淹没在了利己主义打算的冰水之中,"用公开的、无耻的、直接的、露骨的剥削代替了由宗教的幻想和政治幻想掩盖着的剥削"①。但是,《宣言》并不认为这就是导致资本主义必然灭亡的根本原因,而是强调,导致资本主义必然灭亡的,正是资产阶级用来推翻封建制度的武器,即它所创造的巨大生产力。《宣言》指出:"资产阶级赖以形成的生产资料和交换手段,是在封建社会里造成的。在这些生产资料和交换手段发展的一定阶段上,封建的所有制关系就不再适应已经发展的生产力了。它变成了束缚生产的桎梏。它必须被打破,而且果然被打破了。取而代之的是自由竞争以及与自由竞争相适应的社会制度和政治制度、资产阶级的经济统治和政治统治。"②但是,当资产阶级建立起了自己的经济统治和政治统治之后,它又开始面临类似的矛盾和运动。而一种新的社会制度要想取代并最终战胜旧

---

① 《马克思恩格斯全集》第1卷,人民出版社2012年版,第403页。
② 《马克思恩格斯全集》第1卷,人民出版社2012年版,第405页。

的社会制度，无论它在政治上多么平等，道德上多么完善，如果不能创造出高于旧制度的劳动生产率，无论如何，也是不可能的。

当代资本主义虽然还在发展，但却正在发生着一系列否定自身的变化，其最终灭亡是不可避免的；现实社会主义虽然遭受了重大挫折，但却正在从失败走向新生，其最终胜利同样是不可避免的。仅从资本主义所有制关系的变化和发展来看。早在100年前，当资本主义垄断和资本主义国有化刚出现的时候，恩格斯在《反杜林论》中指出："资本家的全部社会职能现在由雇佣的职员来执行了""资本主义生产方式起初排挤工人，现在却排挤资本家了"。① 应该说，恩格斯100年前指出的资本主义的这种自我否定现象，在当代资本主义发达国家里不仅没有消失，而且表现得更明显了。

目前学界对资本主义与社会主义的关系研究主要可以概括为替代论和共存论。替代论强调社会主义必将取代资本主义。

钟哲明认为，虽然目前西方资本主义国家生产

---

① 《马克思恩格斯全集》第3卷，人民出版社2012年版，第666页。

力获得了巨大发展,生产关系的自我调整使阶级对立变得简单化、隐性化,但是生产力的发展与资本主义所有制关系之间矛盾并没有根除,生产过剩的瘟疫和周期性的商业危机仍然环绕着整个世界,资产阶级的灭亡和无产阶级的胜利依然同样不可避免。[①]

共存论认为社会主义和资本主义存在相互合作、共同发展的关系。还有一些学者认为社会主义可以倒退为资本主义。

此外,学界还出现了以"大数据"视角对"资本主义范式"与"社会主义范式"、"计划"与"市场"关系研究的新视角。张倩倩、张平选取《宣言》中计划理论的主要观点进行分析,认为《宣言》中计划理论的主要观点,为未来实践发展指明了方向并预留了理论探索空间。随着以大数据为表征的信息技术革命兴起,大数据海量、多样、实时、共享的特征赋予其计划逻辑,这正契合了社会主义市场经济对宏观调控的需求,也是对马克思、

[①] 钟哲明:《〈共产党宣言〉论资本主义及其两个"不可避免"——〈共产党宣言〉第一部分及1872年德文版序言、1883年德文版序言研读》,载《思想理论教育导刊》2011年第1期。

恩格斯计划理论的时代性诠释。在我国深化社会主义市场经济的改革中，大数据将以全新的手段推进生产力和生产关系上的"社会主义范式"转换。作为新型的劳动资料和劳动工具，大数据能释放生产力的更多活力，提高市场交易效率，为实现有计划的社会生产奠定物质基础，同时引起所有制的纵深变革，促进资源按计划进行优化配置，因而生产资料所有制、产品的分配方式等生产关系也由"资本主义范式"向"社会主义范式"转换。大数据计划逻辑助推"社会主义范式"转换的关键在于中国共产党的领导，利用大数据不断满足人民对美好生活的需要，凸显出社会主义制度的优越性，中国特色社会主义新时代促成平衡、充分的发展。

（七）自由人的联合体

《宣言》中指出："代替那存在着阶级和阶级对立的资产阶级旧社会的，将是这样一个联合体，在那里，每个人的自由发展是一切人的自由发展的条件。"①

关于自由人联合体思想早在启蒙运动时期就有

---

① 《马克思恩格斯全集》第 1 卷，人民出版社 2012 年版，第 422 页。

体现，更多地体现在社会与个人之间的关系。近代主体性的革命改变了人们对个人与社会或国家关系的理解。黑格尔在《精神现象学》中描述过这一变化，他说："普遍物已破裂成了无限众多的个体原子，这个死亡了的精神（指古代伦理精神——引者注）现在成了一个平等（原则），在这个平等中，所有的原子个体一律不等，都像每个个体一样，各算是一个个人。"①

马克思在《宣言》发表前已经论述过对"自由人的联合体"的看法。例如1894年，恩格斯在一封信中写道："我打算从马克思的著作中给您寻找一行您所要求的题词。……'代替那存在着阶级和阶级对立的资产阶级旧社会的，将是这样一个联合体在那里，每个人的自由发展是一切人的自由发展的条件。'"② 这是他首次提出自由人联合体的概念。在《1844年经济学哲学手稿》中，马克思提出了"共产主义"这一具有深刻的自由人的联合体思想意蕴的思想，该思想深刻蕴含着个人、群体和社

---

① ［美］杜威：《哲学的改造》，许崇清译，商务印书馆1997年版，第119页。
② 《马克思恩格斯全集》第39卷，人民出版社1975年版，第189页。

会三者关系发展的和谐共生的理想状态。共产主义"它是人和自然界之间、人和人之间的矛盾的真正解决,是存在和本质、对象化和自我确证、自由和必然、个体和类之间的斗争的真正解决"①。在《德意志意识形态》中马克思指出在未来的自由人联合体中,"个人是作为个人参加的。它是个人的这样一种联合(自然是以当时已经发达的生产力为基础的),这种联合把个人的自由发展和运动的条件置于他们的控制之下"②。

马克思认为人类共同体思想有三个演变阶段:原始共同体、自然共同体—市民社会与国家共同体—自由人的联合体。马克思指出:"只有在共同体中,个人才能获得全面发展其才能的手段,也就是说,只有在共同体中才可能有个人自由。在过去的种种冒充的共同体中,如在国家等等中,个人自由只是对那些在统治阶级范围内发展的个人来说是存在的,他们之所以有个人自由,只是因为他们是这一阶级的个人。从前各个人联合而成的虚假的共同体,总是相对于各个人而独立的;由于这种共同

---

① 《马克思恩格斯全集》第3卷,人民出版社2002年版,第297页。
② 《马克思恩格斯全集》第1卷,人民出版社2012年版,第202页。

体是一个阶级反对另一个阶级的联合,因此对于被统治的阶级来说,它不仅是完全虚幻的共同体,而且是新的桎梏。在真正的共同体的条件下,各个人在自己的联合中并通过这种联合获得自己的自由。"①。

叶汝贤认为"自由人的联合体"是《宣言》关于未来社会的核心命题,是马克思、恩格斯终生为之探索和在实践上为之奋斗不息的主题,这个命题正确解决了人类社会与历史发展中所包含的最基本的四重关系(矛盾):一是个人与共同体的关系;二是个人与个人的关系;三是每个人与一切人的关系;四是一国之内的每个人同全世界范围内的每个人的关系。②胡文建认为,《宣言》中关于"自由人的联合体"这句话的重要地位和重要意义在于:马克思和恩格斯以这句话开宗明义地向全世界宣布了共产党人最高的理想追求,最终的奋斗目标,同时科学地、概括地指明了社会主义和共产主义是什

---

① 《马克思恩格斯全集》第1卷,人民出版社2012年版,第199页。
② 叶汝贤:《每个人的自由发展是一切人的自由发展的条件——〈共产党宣言〉关于未来社会的核心命题》,载《中国社会科学》2006年第3期。

么,社会主义和共产主义的本质是什么,每个人的自由发展是社会主义和共产主义的本质。① 史家亮从马克思主义人学角度对这句话展开研究:每个人的自由发展应该为一切人的自由发展创造条件;一切人的自由发展不能忽视每个人的自由发展;每个人和一切人实际上就是共同体概念的两面观,共同体由每个人组成,每个人是共同体的组成部分。②

德国学者哥特弗里德·施蒂勒认为这是贯穿《宣言》的基本思想之一。按照恩格斯论述的"《宣言》的基本思想",资本与劳动之间的阶级斗争的结果将使被剥削者乃至全社会一劳永逸地摆脱剥削、压迫和阶级斗争。如果我们富于辩证地阅读这一论点,就会发现它在今天仍有其合理性。这一论点的目标是要建立一个拥有全面自由、人的文明与尊严的社会,而不是要指明通往这一社会的具体道路。正如《宣言》中所论述的,所有制关系的改造是"运动的基本问题",社会主义运动以这样一种

---

① 胡文建:《每个人的自由发展是一切人的自由发展的条件——纪念〈共产党宣言〉发表150周年》,载《当代世界社会主义问题》1998年第2期。
② 史家亮:《为了一切人的自由发展:〈共产党宣言〉基本精神的深层解读》,载《河南师范大学学报》(哲学社会科学版)2006年第1期。

联合体为目标,即"每个人的自由发展是一切人的自由发展的条件"。近几十年来的经验,尤其是社会主义最初的尝试的经验告诉我们,达到这一目的的必由之路是民主及其特定的内容。①

程恩富探讨了自由人的联合体的实现路径,他围绕《共产党宣言》中提出的"全世界无产者联合起来"这一主题,以全世界无产者联合的途径及战略和策略为切入点,指出"要实现这一目标,应加强六个形式或途径的合作,包括加强全世界劳动阶级性质的左翼政党、工会、左翼性质运动的联合,加强全世界马克思主义者和左翼性质的学会、媒体、论坛的联合。对于如何促进全世界无产者的联合的路径,首先要形成广泛的社会主义国际统一战线,马克思主义学者和左翼人士要团结一切可以团结的泛左翼力量,并加强左翼理论战略和策略的互相交流,求大同存小异;其次,要积极发展左翼团队,与公开或秘密或潜在的左翼人士建立联系,并物色、提拔具有创新精神的、坚定的马克思主义者和左翼人士,使其掌握关键领导权;最后,要加强

---

① [德]哥特弗里德·施蒂勒:《贯穿〈宣言〉的基本思想》,载《马克思主义与现实》1998年第1期。

对左翼运动和进步运动的宣传，可以通过成立和发展马克思主义学会，主办报刊、网站和出版社，开设马克思主义课程和社会性公开讲坛等方式进行宣传，影响、参与引导国内外左翼运动和进步运动，并宣传各国的左翼实践典型，让人民群众从典型中领悟左翼的价值观和进步性"①。

（八）阶级问题：什么是无产阶级和阶级斗争

马克思和恩格斯论述了资本主义生产方式的产生和资产阶级作为阶级的形成过程，同时创立了决定阶级对立和阶级斗争的基本观点。

在这些基本观点中，首要的一条就是证明，资产阶级和无产阶级之间的阶级对立客观上是不可调和的。生产资料私有制是阶级对立和阶级斗争的基础。马克思和恩格斯顺着资产阶级作为阶级随着自身的发展而实行的经济、政治和思想变革的激烈过程——它按照自己的面貌为自己创造出一个世界——明确指出：阶级斗争已深入社会生活的各个领域。它在经济、政治、思想等领域中，以各种不

---

① 靳晓春、李梦：《〈共产党宣言〉与马克思主义基本原理——"第三届全国马克思主义基本原理研讨会"综述》，载《马克思主义研究》2018年第11期。

同的具体历史形式,或明或暗地表现出来。因此就必须从阶级立场出发去研究社会生活的各种现象。

日本学者城塚登指出,在《宣言》的第四章,从第一章和第二章对历史的分析和对共产主义目标的阐述中,提出共产党人对各种激进的党派应采取的态度。像德国这样的国家,还保留着君主专制和封建的土地所有制残余,在这种情况下,激进的资产阶级有时也会采取革命的行动,这时,共产党人又努力培养工人阶级的阶级意识,使他们尽可能明确地认识资产阶级和无产阶级之间的敌对关系。①

靳辉明认为,关于阶级存在和阶级斗争的原理,像一条红线一样贯穿《宣言》始终,这确实是马克思对社会历史认识的一个重大贡献。《宣言》阐述的阶级和阶级斗争的原理并没有过时,只是应当根据变化了的形势做出新的解释和运用。要科学地认识当今世界,认识当代资本主义的社会矛盾及其发展趋势,还必须诉诸马克思主义的阶级分析方法。周新城认为,阶级斗争学说是科学社会主义的核心内容之一。阶级斗争理论和阶级分析方法是马克思

---

① [日]城塚登:《青年马克思的社会主义思想》,肖晶晶译,新华书店1988年版,第136页。

主义的基本原则,决不能放弃。社会主义制度建立后,阶级矛盾已经不是社会的主要矛盾,再提"以阶级斗争为纲"是错误的。但是由于国内的因素和国际的影响,阶级矛盾仍在一定范围内存在,在某种条件下还会激化,这一点也不应忽视。①

程金良对《宣言》关于阶级斗争是阶级社会发展的直接动力问题进行了解读:理解这个问题的关键在于对什么是阶级、什么是阶级斗争的理解。一方面,阶级存在是合理性与不合理性的统一;另一方面,阶级斗争和阶级存在是统一的。作者还就无产阶级专政、无产阶级政党的性质和任务及无产阶级的国际主义问题进行了解读,认为无产阶级革命和无产阶级专政是无产阶级完成自己历史使命的正确道路。无产阶级专政并没有从真正意义上消灭阶级和阶级统治。无产阶级的国际主义就是全世界的大发展。②

孟全生从当代资本主义社会阶级结构的变化,

---

① 周新城:《必须坚持〈共产党宣言〉阐述的科学社会主义基本原则》,《中共石家庄市委党校学报》2013年第3期。
② 程金良:《对马克思阶级分析法的二重性理解——〈共产党宣言〉解读》,载《理论导刊》2006年第11期。

来解读《宣言》对无产阶级、资产阶级的论断是否正确。文章首先分析了当代资本主义社会阶级结构的变化及其特点；接着指出这种阶级结构的变化，不能否定《宣言》关于资本主义的四个基本结论；文章最后阐述了《宣言》关于社会阶级结构的论述所面临的挑战与发展机遇。①

一些学者对《宣言》中第一章首句话"至今一切社会的历史都是阶级斗争的历史"进行了解读，例如德国学者蕾娜特·默克尔在《〈共产党宣言〉——马克思恩格斯著作介绍》中分析了"全部社会的历史就是阶级斗争的历史"②。董仲其认为《宣言》中第一章首句话的观点是"借用"，这句话既有正面作用，也有负面作用。马克思和恩格斯为解决这句话的弊端进行了长达30年的探索，并最终解决了这个问题，那就是加上"除原始社会外"几个字。③

---

① 孟全生：《当代资本主义社会阶级结构的变化与〈共产党宣言〉》，载《当代世界与社会主义》1998年第1期。
② ［德］蕾娜特·默克尔：《〈共产党宣言〉——马克思恩格斯著作介绍》，载《马克思恩格斯列宁斯大林研究》1997年第2辑。
③ 董仲其：《唯物史观的贯彻与发展——对〈共产党宣言〉第一章首句话的思考》，载《四川大学学报》（哲学社会科学版）2005年第6期。

哥特弗里德·施蒂勒认为"阶级"概念是一个内容相对贫乏的"乏味的抽象物"(马克思语);如果抽去其具体的、历史的和社会的差别,它就只是抽象、一般的东西。阶级的过渡形式和分化也是阶级斗争的标志。分析阶级存在与阶级斗争的变异形式,是值得的,也是必要的。但必须确认,资本与劳动的区别和对立作为资本主义社会的基本关系还将继续存在,而且仍然是其他社会关系的基础,尽管这些社会关系远未完全表现出来。①

田毅松认为,对马克思对无产阶级的分析还是应该回到《神圣家族》和《1844年经济学哲学手稿》中,充分借助这两部著作中的异化理论。马克思在《神圣家族》中论述无产阶级的方法是,在私有财产、无产阶级和财富三者之间的辩证关系中解释无产阶级。

陈培永从阶级和等级的区别入手进行研究,他指出:"读《宣言》,首先不能回避的问题就是对阶级的误解,一些人不能正视阶级甚至害怕谈阶级……我们需要细读《宣言》,结合社会发展的现

---

① [德]哥特弗里德·施蒂勒:《贯穿〈宣言〉的基本思想》,载《马克思主义与现实》1998年第1期。

实审慎思考。"① 阶级与等级不能混为一谈，恩格斯在《哲学的贫困》中对"等级"一词做了专门注释，"所谓等级是指历史意义上的封建国家的等级，这些等级有一定的和有限的特权。资产阶级革命消灭了这些等级及其特权。资产阶级社会只有阶级，因此，谁把无产阶级称为'第四等级'，他就完全违背了历史"②。阶级取代等级是历史的进步，但是也不能因此认为阶级社会就是好的社会。阶级的存在意味着还没有发展到人类的理想社会阶段，社会依旧存在对立、冲突、不公平。③ 在解决社会现实问题时，阶级分析法在今天依然是有效的，同时它的使用也是有限度的，应结合其他分析方法一起使用。④

张当对阶级斗争理论的两种阐释路向进行研究，两种路向分别为"改良论"和"革命论"。"阶

---

① 陈培永：《〈共产党宣言〉的新时代阐释重解核心关键词》，中国社会科学出版社2018年版，第12页。
② 《马克思恩格斯全集》第1卷，人民出版社2012年版，第275页。
③ 陈培永：《〈共产党宣言〉的新时代阐释重解核心关键词》，中国社会科学出版社2018年版，第18页。
④ 陈培永：《〈共产党宣言〉的新时代阐释重解核心关键词》，中国社会科学出版社2018年版，第19页。

级"一词在马克思主义理论中占据着极为重要的地位。在《宣言》中，马克思、恩格斯通过梳理阶级斗争的历史阐释了历史唯物主义的基本内容，不仅促进了无产阶级自身的确证，而且也推动了无产阶级在欧洲乃至世界范围的革命实践活动。由于"阶级"在不同社会语境中发生了转变，导致后人对此概念形成了两种阐释路向，这两条路向虽然从不同角度阐释了马克思主义阶级观，但都较为片面地理解了《宣言》中的阶级斗争理论。马克思、恩格斯在《宣言》中所阐述的阶级斗争理论是建立在资本主义私有制所决定的社会基础上，而脱离对资本主义私有制的根本认识，是导致阶级斗争理论被弱化、淡化的关键原因。[①]

（九）政党问题

《宣言》是关于无产阶级获得解放的学说。马克思、恩格斯论证了无产阶级获得自身解放的条件，即组建政党领导工人阶级进行政治斗争。作者在《宣言》第二部分"无产者和共产党人"开篇就对共产党的性质做了界定。共产党是无产阶级的先

---

① 张当：《〈共产党宣言〉中阶级斗争理论的两种阐释路向》，载《教学与研究》2019年第3期。

进政党，其共产党的先进性主要表现在：第一，共产党代表整个无产阶级的利益。马克思、恩格斯指出了共产党人同全体无产者的关系，"共产党人不是同其他工人政党相对立的特殊政党。他们没有任何同整个无产阶级的利益不同的利益。他们不提出任何特殊的原则，用以塑造无产阶级的运动"①。但共产党具有与其他政党鲜明的不同之处："一方面，在无产者不同的民族的斗争中，共产党人强调和坚持整个无产阶级共同的不分民族的利益；另一方面，在无产阶级和资产阶级的斗争所经历的各个发展阶段上，共产党人始终代表整个运动的利益。"②"过去的一切运动都是少数人的或者为少数人谋利益的运动。无产阶级的运动是绝大多数人的、为绝大多数人谋利益的独立的运动。"③这表明，共产党是代表全体无产阶级及全人类解放的共同利益和要求的，是工人阶级的先进组织。共产党要为无产阶级的利益而奋斗，这是共产党的宗旨。第二，共产党具有最坚决、最彻底的革命精神。"共产党

---

① 《马克思恩格斯全集》第1卷，人民出版社2012年版，第413页。
② 《马克思恩格斯全集》第1卷，人民出版社2012年版，第413页。
③ 《马克思恩格斯全集》第1卷，人民出版社2012年版，第411页。

人为工人阶级的最近目的和利益而斗争,但是他们在当前的运动中同时代表运动的未来。"① 不仅如此马克思、恩格斯还指出"共产主义革命就是同传统的所有制关系实行最彻底的决裂"②。第三,共产党具有国际主义精神。彻底消灭私有制,实现共产主义是一项十分艰巨的任务。《宣言》号召"全世界无产者,联合起来"③。在《宣言》第三部分"社会主义的和共产主义的文献"中,在批判各种社会主义流派中,马克思、恩格斯进一步阐述了无产阶级政党的指导思想。

无产阶级政党不仅需要正确的政治纲领和路线,而且需要正确的策略原则和国际主义原则,以便完成自己的历史使命。共产党的最近目的就是"使无产阶级上升为统治阶级,争得民主。无产阶级将利用自己的政治统治,一步一步地夺取资产阶级的全部资本,把一切生产工具集中在国家即组织成为统治阶级的无产阶级手里,并且尽可能快地增加生产

---

① 《马克思恩格斯全集》第1卷,人民出版社2012年版,第434页。
② 《马克思恩格斯全集》第1卷,人民出版社2012年版,第421页。
③ 《马克思恩格斯全集》第1卷,人民出版社2012年版,第435页。

力的总量"①。马克思、恩格斯指出，工人阶级政党必须毫不隐瞒自己的观点和意图——用暴力推翻资本主义制度，要夺取政权就是要推翻资产阶级的统治，而掌握政权以后，共产党要领导工人阶级大力发展生产力，使物质产品极大丰富，只有这样才能把夺取来的政权牢牢掌握在手中，为实现最终目标奠定基础。共产党的最终奋斗目标是消灭私有制，建立一个没有剥削、没有阶级和阶级对立的共产主义社会。无产阶级在反对资产阶级的斗争中，首先组织成为阶级，通过革命使自己成为统治阶级，消灭旧的生产关系，同时也就消灭了阶级对立存在的条件，以及阶级本身存在的条件，从而"代替那存在着阶级和阶级对立的资产阶级旧社会的，将是这样一个联合体，在那里，每个人的自由发展是一切人的自由发展的条件"②。无产者在革命中失去的只是锁链，获得的将是整个世界。

同时在《宣言》中还明确提出了共产党人要和全世界民主党之间团结与合作。马克思、恩格斯在《宣言》第二部分清楚地表明了共产党人与其他

---

① 《马克思恩格斯全集》第1卷，人民出版社2012年版，第421页。
② 《马克思恩格斯全集》第1卷，人民出版社2012年版，第438页。

工人政党的关系，因此，共产党人要和其他民主党形成团结合作的关系，如支持波兰把土地革命作为民族解放的条件的政党。但同时要保持自己的独立性，保持对他们的批判的态度。支持资产阶级反对封建制度的斗争——共产党人到处都支持一切反对现存的社会制度和政治制度的革命运动。对于无产阶级的立场、观点和利益问题，无产阶级政党必须保持自己的独立性，无产阶级政党需要联合一切可能联合的同盟者来反对主要敌人，以达到完成不同历史时期的革命任务的目的。马克思、恩格斯大声呼吁：全世界无产者，联合起来！

刘宁宁指出，19世纪40年代初，马克思、恩格斯首先完成唯心主义向唯物主义的转变，形成了唯物史观，并在工人运动实践中，发现了无产阶级的历史使命，为无产阶级政党理论的形成奠定了理论基础，1848年《宣言》的发表标志着无产阶级政党理论的形成。[①]

仰义方、戴立兴联系现实，论述了《宣言》对新时代党的建设的启示。第一，《宣言》所揭示的

---

① 刘宁宁:《马克思恩格斯无产阶级政党理论及其当代意义》，载《马克思主义研究》2010年第11期。

无产阶级政党产生发展的历史必然性，为不断增强党的政治领导力提供基本遵循。第二，《宣言》所确立的无产阶级政党实践活动的价值取向，为坚守执政为民的执政理念提供理论支撑。第三，《宣言》所阐明的无产阶级政党理论建设的重大意义，为推动党的理论宣传与普及提供思想保证。第四，《宣言》所论述的无产阶级政党奋斗的目标任务，为党肩负起民族复兴的历史使命提供方向指引。①

（十）其他问题

1.对《宣言》写作地点与出版时间考证的研究

关于《宣言》出版日期，目前有苏联学者提出的2月27日、刘师培提出的2月下旬、朱执信提出的2月10日等说法。德国学者麦泽尔通过印刷版本以及两位共产主义者同盟盟员提供的陈述，考证出《宣言》的印刷时间开始于1848年革命前，地点为《德意志伦敦报》印刷所。当伦敦教育协会成员拿到《宣言》的同时，也听到了巴黎二月革命

---

① 仰义方、戴立兴：《〈共产党宣言〉对新时代党的建设的启示意义》，载《中南大学学报》（社会科学版）2019年第2期。

开始的消息，即德国时间2月23日。① 高放教授则从史实论证的角度进行考证，认为仅从马克思、恩格斯本人著述不能确切认定《宣言》真正的出版日期，通过对相关人士叙述以及大量史料研究，提出该日期为2月24日。②

关于《宣言》创作地点的考证，颜鹏飞经历长达十年在伦敦、布鲁塞尔、比利时等地的实地考察后，不赞成很多专家所提出的"《宣言》是在白天鹅宾馆一个咖啡馆的串门房间里写的"这一观点。他的结论是，《宣言》写作的最终地点是纳缪尔郊区奥尔良路42号和野林宾馆。③

2.对《宣言》传播情况以及翻译文本的研究

张光明、李锁贵对《宣言》在世界各地的传播情况进行统计分析④；李锁贵对《宣言》在美国的早

---

① ［德］沃尔夫冈·麦泽尔：《一八四八年二月的〈共产党宣言〉有关印刷和流传情况的新研究成果》，载《当代世界与社会主义》1998年第2期。
② 高放：《〈共产党宣言〉是何日出版的？》，载《马克思主义与现实》1997年第6期。
③ 宋朝龙：《〈共产党宣言〉的空间逻辑与人类命运共同体的构建》，载《学术论坛》2018年第3期。
④ 张光明、李锁贵：《马克思恩格斯在世时〈共产党宣言〉的传播情况》，载《历史教学》1998年第9期。

期传播进行梳理介绍①；张红兰对《宣言》在中国的早期传播进行了比较研究②；范立君对《宣言》在日本和意大利的传播进行介绍研究③。聂锦芳、李军林分别从不同角度分析《宣言》广泛传播的原因。胡为雄对"日本马克思主义"在中国的早期传播进行研究。④顾海良指出《宣言》在北京大学最早的传播可以追溯到1919年。⑤王刚总结了《宣言》在中国船舶的总体性特点，即递进性、选择性、多路径、多题词、与传统文化嫁接、边传播边中国化。⑥

日本学者石川祯浩着重研究了《共产党宣言》第一个中译本即陈望道翻译版本的蓝本问题⑦；中国

---

① 李锁贵：《〈共产党宣言〉在美国的早期传播》，载《马克思主义与现实》1997年第3期。
② 张红兰：《〈共产党宣言〉在中国的早期介绍与传播》，载《党史天地》2002年第10期。
③ 范立君：《〈共产党宣言〉在意大利和日本的传播与影响》，载《当代世界与社会主义》2007年第2期。
④ 胡为雄：《赴日留学生与"日本马克思主义"在中国的早期传播》，载《马克思主义与现实》2015年第3期。
⑤⑥ 宋朝龙：《〈共产党宣言〉的空间逻辑与人类命运共同体的构建》，载《学术论坛》2018年第3期。
⑦ ［日］石川祯浩：《关于陈望道译〈共产党宣言〉》，载《鲁迅研究月刊》1994年第3期。

学者杨金海、胡永钦[①]、金建陵[②]侧重于对《宣言》中译本各种版本的研究与考证；黄霞对《宣言》第一个中译本的翻译过程、版式设计进行研究[③]；巩日国尝试从雕刻印刷史视角对《宣言》中译本做研究。李桐[④]、高放[⑤]、俞吾金[⑥]、徐天娜[⑦]也对《宣言》中一些词语的翻译进行分析研究与考证。

闫杰花对《宣言》的传播研究视角聚焦于越南的传播情况。"《宣言》在越南的传播有别于在其他国家的传播，经历了先传播后翻译的过程，形成了先秘密传播后公开传播的传播方式，同时还具有传

---

① 杨金海、胡永钦：《解放前〈共产党宣言〉的六个中文译本》，载《纵横》1999年第4期。
② 金建陵：《寻访最早的〈共产党宣言〉中文全译本》，载《档案与建设》2002年第2期。
③ 黄霞：《陈望道鉴定〈共产党宣言〉》，载《出版史料》2002年第2期。
④ 李桐：《〈共产党宣言〉中一个原文词Aufhebung的解释和翻译管见》，载《书屋》2000年第9期。
⑤ 高放：《从〈共产党宣言〉的一处误译看资本主义如何过渡到社会主义——兼评〈"两个必然"及其实现道路〉一书》，载《社会科学研究》2002年第5期。
⑥ 俞吾金：《从〈共产党宣言〉的一段译文看马克思如何看待传统》，载《光明日报》2000年10月24日。
⑦ 徐天娜：《〈共产党宣言〉汉译本中的"资本家"和"资产阶级"——由译词的确定过程看革命对象的固化》，载《南京大学学报》(哲学·人文科学·社会科学版）2019年第2期。

播地域不平衡性的特征。《宣言》在越南的翻译以全译本为主，具有高度组织性、鲜明的阶级性和革命性的特征。17个越译全译本的变化受文化传统、时代背景、参考版本来源转化等因素的影响。"①

3.对《宣言》七篇序言的研究

吴丹从序言中探究了马克思主义的理论创新精神，"《宣言》的七篇序言展现出来的马克思主义的理论创新，不是抽象意义上的创新，而是有其具体内涵和明确内容的创新。换句话说，马克思主义的理论创新是有条件的"。通过马克思、恩格斯根据历史经验以及各国发展实际情况对《宣言》内容的不断补充和修正，总结出马克思主义的理论创新包括两个层次："第一个层次，是指在原有的理论基础上，进行补充、修正、丰富和发展，使其更加符合时代发展的要求，如在《宣言》序言中，马克思、恩格斯对《宣言》中某些已过时的观点的修改，以及对《宣言》中不够完善内容的补充；第二个层次，是指前人没有提供现成的、可以直接利用的思想和理论，需要在实践中摸索和总结，并结合前人曾经

---

① 闫杰花：《〈共产党宣言〉在越南的传播与翻译》，载《当代世界与社会主义》2018年第5期。

提出的相关基本原理进行创新，如马克思恩格斯针对俄国农村公社提出的'双方互相补充'条件的阐述，就是根据有关社会形态发展演变的基本原理，结合俄国的具体实际情况理论创新的结果。"①

4.从学科交叉角度对《宣言》的研究

从地理学角度进行研究的代表学者是英国学者哈维，他与郇建立的文章"首先在全球化的大背景下探讨了资本积累和阶级斗争的空间维度，接着考察了资产阶级用以缓解资本主义内部矛盾的空间转移理论，最后从我们时代的立场出发批判性地考察了《宣言》的一些实际描述"，他们认为，"地理转型和非均衡地理发展在资本主义积累的历史中发挥了重要作用；《宣言》低估了资本在地缘政治方面的动员力量以及通过地域组织动员劳动的力量"②。此外，李惠林、张向新③从教育学角度，马天俊④从

---

① 吴丹：《从〈共产党宣言〉序言看马克思主义的理论创新精神》，载《高校理论战线》2006年第1期。
② [英]戴维·哈维：《马克思的空间转移理论——〈共产党宣言〉的地理学》，载《马克思主义与现实》2005年第4期。
③ 李惠林、张向新：《试论〈共产党宣言〉中的马克思主义教育观》，载《辽宁高等教育研究》1997年第5期。
④ 马天俊：《社会感性及其教化——兼论〈共产党宣言〉的修辞学》，载《人文杂志》2006年第6期。

修辞学角度对《宣言》进行常识性解读分析。李定通从文学角度，将马克思定位为一个浪漫诗人，分析《宣言》中的诗学形式。①

5.《宣言》对思想政治教育实践的影响

常宴会从思想政治教育实践的角度解读《宣言》，将《宣言》看作马克思的一次思想政治教育行动。"在《共产党宣言》的创作过程中，马克思在文体、写作原则、表达方式等方面做了充分的考虑，回应了当时情境下对无产阶级进行思想政治教育的要求。《共产党宣言》既从逻辑上证明了无产阶级革命的正当性，又通过高超的修辞手段增强了文字的鼓动性，充分展现了思想政治教育的力量。作为思想政治教育实践的载体，《共产党宣言》实现了主体与客体、理论与实践、原则与策略、理性与修辞的统一，这是马克思主义思想政治教育的应有品格。"②

---

① 李定通：《马克思〈共产党宣言〉中的诗学形式》，载《西南民族大学学报》（民族社会科学版）2019年第5期。

② 常宴会：《〈共产党宣言〉：马克思主义思想政治教育的实践典范》，载《思想教育研究》2018年第11期。

6. 新时代"人类命运共同体"思想与《宣言》的关系

越来越多的学者开始关注《宣言》中"自由人的联合体"、世界历史理论与"人类命运共同体"的联系，论证它们之间的内在统一性、理论相关性等。

郗戈认为，《宣言》在政治宣言语境中发展和深化了世界历史理论，分析了世界历史的内在矛盾，将之展开为"双重逻辑"即资本的增殖逻辑与民族国家的权力逻辑。从当代视野看，资本逻辑与民族国家逻辑之间的对抗性，是全球混沌、世界冲突的根源之一，同时也凸显了全球治理、人类共同命运等问题的重要性。《宣言》的世界历史理论与构建人类命运共同体思想在历史和逻辑两个层面上都具有深刻统一性。从社会发展史来看，构建人类命运共同体是世界历史发展到当今阶段的客观要求。而从马克思主义发展史来看，构建人类命运共同体思想是对马克思和恩格斯的世界历史理论的继承与发展。正是在构建人类命运共同体的理论和实践中，世界历史理论的当代价值得以彰显。[①]

---

① 郗戈：《〈共产党宣言〉世界历史理论与人类命运共同体建构》，载《湖南科技大学学报》（社会科学版）2018年第4期。

伍胤鸿认为，人类命运共同体思想是《宣言》全球化思想在新时代的发展，"在追求目标和方法论启示上与马克思主义一脉相承，同时也是顺应时代发展创造性地提出的中国方案"①。

---

① 伍胤鸿：《〈共产党宣言〉全球化思想在新时代的发展》，载《北京航空航天大学学报》（社会科学版）2018年第6期。

参考文献

1. 《马克思恩格斯全集》第1—4卷,人民出版社2012年版。
2. 《马克思恩格斯全集》第1卷,人民出版社1956年版。
3. 《马克思恩格斯全集》第139卷、第42卷,人民出版社1975、1979年版。
4. 《列宁全集》第6卷,人民出版社1986年版。
5. 《列宁选集》第1—4卷,人民出版社1995年版。
6. [德]伯恩斯坦:《社会主义前提和社会民主党的任务》,黄胜强等译,上海三联书店1965年版。
7. [美]威廉·格雷德:《资本主义全球化的疯狂逻辑》,社会科学文献出版社2003年版。
8. 靳辉明:《靳辉明文集》,辞书出版社2005年版。
9. 顾海良:《马克思主义发展史》,中国人民大学出版社2009年版。
10. [德]托马斯·迈尔:《社会民主主义导论》,殷叙彝译,中央编译出版社1996年版。
11. [美]弗兰西斯·福山:《历史的终结》,黄胜强等译,远方出版社1998年版。
12. 周循:《科学社会主义理论与实践》,陕西人民出版社2007年版。

13. 施德福、靳辉明主编:《马克思主义哲学史》第1卷,北京出版社1991年版。

14. 陈先达:《走向历史的深处:马克思历史观研究》,北京大学出版社2017年版。

15. [意]安东尼奥·拉布里奥拉:《关于历史唯物主义》,杨启潾等译,人民出版社1984年版。

16. [英]伊格尔顿:《历史中的政治、哲学、爱欲》,马海良译,北京中国社会科学出版社1999年版。

17. [匈]格奥尔格·卢卡奇:《历史与阶级意识》,麻省工学院出版社1971年版。

18. 丰子义、杨学功:《马克思世界历史理论与全球化》,人民出版社2002年版。

19. 俞可平:《全球化时代的"马克思主义"》,中央编译出版社1998年版。

20. [美]杜威:《哲学的改造》,许崇清译,商务印书馆1997年版。

21. [日]城塚登:《青年马克思的社会主义思想》,肖晶晶译,新华书店1988年版。

22. [美]M.伯曼:《马克思将是华尔街"下一个伟大的思想家"——新版〈共产党宣言〉序言》,宋欢欢译,载《马克思主义研究》2012年第3期。

23. 梅荣政、张乾元:《"两个必然"和"两个决不会"的内在统一〉,载《中国人民大学学报》2005年第3期。

24. [德]蕾娜特·默克尔:《〈共产党宣言〉——马克思恩格斯著作介绍》,载《马克思恩格斯列宁斯大林研究》1997年第2辑。

25. [美]F.L.本德:《〈共产党宣言〉的历史和理论背景》,载《马克思恩格斯列宁斯大林研究》1997年第4辑。

26. [德]哥特弗里德·施蒂勒:《贯穿〈宣言〉的基本思想》,载《马克思主义与现实》1998年第1期。

27. [英]哈罗德·约瑟夫·拉斯基:《〈共产党宣言〉社会主义的里程碑》,吴韵曦译,中国民主法治出版社2018年版。

28. [日]石川祯浩:《关于陈望道译〈共产党宣言〉》,载《鲁迅研究月刊》1994年第3期。

29. [德]沃尔夫冈·麦泽尔:《一八四八年二月的〈共产党宣言〉有关印刷史和流传情况的新研究成果》,载《当代世界与社会主义》1998年第2期。

30. [英]戴维·哈维:《马克思的空间转移理论——〈共产党宣言〉的地理学》,载《马克思主义与现实》2005年第4期。

31. [美]约瑟夫·熊彼特:《〈共产党宣言〉在社会学和经济学中的地位》,载《马克思主义与现实》1997年第3期。

32. Eric Hobsbawm, "*Introduction*" to *The Communist Manifesto: a Modern Edition*, Verso, 1998.

33. John Micklethweit, "A Future Perfect:The Challenge and

Promise of Globalization", *Random House*, Inc, 2003.

34. Francis Wheen, Marx's "Das Kapital": A Biography, *Atlantic Books*,2006.

35. Gareth Stedman Jones, "Introduction" to The Communist Manifesto, *Penguin*, 2002.

36. David Harvey, "Spaces of Hope", *CA: University of California Press*, 2000.

37. V.M.Rozin, Esoteric Ideas on the Transformation of Man and Society in Comparison with Utopian and Social Projects, *Russian Social Science Review*, Vol.49, No.1, 2008.

38. Michael Burawoy, "Marxism after Communism", *Theory and Society*, Vol.29, No.2.

39. 朱美荣:《国外学者聚焦发表160周年的〈共产党宣言〉》,载《当代世界与社会主义》2008年第4期。

40. 张国胜、王国平:《对"两个必然"理论的再思考——纪念〈共产党宣言〉发表150周年》,载《理论探讨》1998年第6期。

41. 郭荣华:《对"两个必然"和社会主义前途的再认识——新世纪之初重读〈共产党宣言〉》,载《江西社会科学》2001年第9期。

42. 阮德平:《继续坚定、创造性地走社会主义道路》,载《政治学研究》2007年第4期。

43. 金仁权：《"两个决不会"是对时代的核心解释》，载《延边大学学报》(社会科学版)2008年第1期。

44. 吴晓明：《马克思对现代性的双重批判》，载《学术月刊》2006年第2期。

45. 王永贵、范桂萍：《解读全球化与社会主义问题的一把理论钥匙——马克思恩格斯的全球化思想及其时代价值》，载《理论探讨》2002年第3期。

46. 丰子义：《正确理解和把握马克思的世界历史理论》，载《教育与研究》2004年第3期。

47. 陈晓：《十七大以来〈共产党宣言〉与当代研究综述》，载《中外企业家》2013年第5期。

48. 叶汝贤：《每个人的自由发展是一切人的自由发展的条件——〈共产党宣言〉关于未来社会的核心命题》，载《中国社会科学》2006年第3期。

49. 胡文建：《每个人的自由发展是一切人的自由发展的条件——纪念〈共产党宣言〉发表150周年》，载《当代世界社会主义问题》1998年第2期。

50. 史家亮：《为了一切人的自由发展:〈共产党宣言〉基本精神的深层解读》，载《河南师范大学学报》(哲学社会科学版)2006年第1期。

51. 程金良：《对马克思阶级分析法的二重性理解——〈共产党宣言〉解读》，载《理论导刊》2006年第11期。

52. 孟全生：《当代资本主义社会阶级结构的变化与〈共产党宣言〉》，载《当代世界与社会主义》1998年第1期。

53. 董仲其：《唯物史观的贯彻与发展——对〈共产党宣言〉第一章首句话的思考》，载《四川大学学报》（哲学社会科学版）2005年第6期。

54. 刘宁宁：《马克思恩格斯无产阶级政党理论及其当代意义》，载《马克思主义研究》2010年第11期。

55. 邹广文：《马克思的现代性视野及其当代启示》，载《中国人民大学学报》2004年第5期。

56. 俞吾金：《马克思对现代性的诊断及其启示》，载《中国社会科学》2005年第1期。

57. 林剑：《〈共产党宣言〉关于资本主义的三个预测及其历史验证》，载《马克思主义与现实》2017年第5期。

58. 陈培永：《〈共产党宣言〉的新时代阐释重解核心关键词》，中国社会科学出版社2018年版。

59. 高放：《〈共产党宣言〉是何日出版的？》，载《马克思主义与现实》1997年第6期。

60. 张光明、李锁贵：《马克思恩格斯在世时〈共产党宣言〉的传播情况》，载《历史教学》1998年第9期。

61. 李锁贵：《〈共产党宣言〉在美国的早期传播》，载《马克思主义与现实》1997年第3期。

62. 张红兰：《〈共产党宣言〉在中国的早期介绍与传播》，载

《党史天地》2002年第10期。

63. 范立君:《〈共产党宣言〉在意大利和日本的传播与影响》,载《当代世界与社会主义》2007年第2期。

64. 胡为雄:《赴日留学生与"日本马克思主义"在中国的早期传播》,载《马克思主义与现实》2015年第3期。

65. 杨金海、胡永钦:《解放前〈共产党宣言〉的六个中文译本》,载《纵横》1999年第4期。

66. 金建陵:《寻访最早的〈共产党宣言〉中文全译本》,载《档案与建设》2002年第2期。

67. 黄霞:《陈望道鉴定〈共产党宣言〉》,载《出版史料》2002年第2期。

68. 李桐:《〈共产党宣言〉中一个原文词Aufhebung的解释和翻译管见》,载《书屋》2000年第9期。

69. 高放:《从〈共产党宣言〉的一处误译看资本主义如何过渡到社会主义——兼评〈"两个必然"及其实现道路〉一书》,载《社会科学研究》2002年第5期。

70. 俞吾金:《从〈共产党宣言〉的一段译文看马克思如何看待传统》,载《光明日报》2000年10月24日。

71. 李惠林、张向新:《试论〈共产党宣言〉中的马克思主义教育观》,载《辽宁高等教育研究》1997年第5期。

72. 马天俊:《社会感性及其教化——兼论〈共产党宣言〉的修辞学》,载《人文杂志》2006年第6期。

73. 李定通：《马克思〈共产党宣言〉中的诗学形式》，载《西南民族大学学报》（民族社会科学版）2019年第5期。

74. 徐天娜：《〈共产党宣言〉汉译本中的"资本家"和"资产阶级"——由译词的确定过程看革命对象的固化》，载《南京大学学报》（哲学、人文、科学版）2019年第2期。

75. 杨谦、张婷婷：《〈共产党宣言〉中现代性思想及其当代话语》，载《兰州大学学报》（社会科学版）2018年第6期。

76. 吴丹：《从〈共产党宣言〉序言看马克思主义的理论创新精神》，载《高校理论战线》2006年第1期。

77. 刘勇、王怀信：《〈共产党宣言〉的理论主题与全球治理体系变革》，载《河海大学学报》（哲学社会科学版）2019年第2期。

78. 戴亮：《〈共产党宣言〉的空间思维探究》，载《山西大同大学学报》（社会科学版）2019年第2期。

79. 张当：《〈共产党宣言〉中阶级斗争理论的两种阐释路向》，载《教学与研究》2019年第3期。

80. 丁堡骏：《马克思恩格斯对〈共产党宣言〉与时俱进的发展及其当代启示》，载《马克思主义研究》2018年第12期。

81. 靳晓春、李梦：《〈共产党宣言〉与马克思主义基本原理——"第三届全国马克思主义基本原理研讨会"综述》，载《马克思主义研究》2018年第11期。

82. 张倩倩、张平：《大数据嵌入："社会主义范式"转换的新探索——〈共产党宣言〉中的计划理论及其当代启示》，载《甘肃社会科学》2018年第6期。

83. 常宴会：《〈共产党宣言〉：马克思主义思想政治教育的实践典范》，载《思想教育研究》2018年第11期。

84. 闫杰花：《〈共产党宣言〉在越南的传播与翻译》，载《当代世界与社会主义》2018年第5期。

85. 冯莉、肖巍：《资本、战争与全球治理——从〈共产党宣言〉到〈帝国主义论〉及其他》，载《复旦学报》(社会科学版)2018年第6期。

86. 郗戈：《〈共产党宣言〉世界历史理论与人类命运共同体建构》，载《湖南科技大学学报》(社会科学版)2018年第4期。

87. 伍胤鸿：《〈共产党宣言〉全球化思想在新时代的发展》，载《北京航空航天大学学报》(社会科学版)2018年第6期。

88. 宋朝龙：《〈共产党宣言〉的空间逻辑与人类命运共同体的构建》，载《学术论坛》2018年第3期。

89. 仰义方、戴立兴：《〈共产党宣言〉对新时代党的建设的启示意义》，载《中南大学学报》(社会科学版)2019年第2期。